W9-BCX-219

Édition originale conçue et éditée par Mc Rae Publishing, Ltd, Londres, Royaume-Uni
info@mcraepublishing.com
www.mcraepublishing.co.uk

Direction éditoriale : Anne McRae
Direction artistique : Marco Nardi
Photographies : Brent Parker Jones
Textes : Carla Bardi
Édition : Anne Slater
Stylisme culinaire : Lee Blaylock
Préparation des recettes : Lute Clarke, Pierrick Boyer
Mise en page : Aurora Granata
Prépresse : Filippo Delle Monache

Édition française

Traduction : Agnès Letourneur
Révision : Nelly Mégret
Relecture : Mireille Touret
Mise en page : Nord Compo (Villeneuve-d'Ascq)

Imprimé en Chine
Dépôt légal : mars 2012
23-27-0430-01-1
ISBN : 978-2-01-230430-7

CARLA BARDI

Plats uniques

hachette
CUISINE

Sommaire

Le niveau de difficulté des recettes est indiqué sur une échelle de 1 (facile) à 3 (difficile).

1
Brochettes de poulet
au citron et aux herbes

2
Brochettes de poulet
au soja et à la coriandre

3
Poulet au citron et
à la sauce aux câpres

4
Poulet grillé aux figues
et à la feta

5
Poulet grillé au citron,
à l'ail et aux tomates

6
Canard yakitori aux oignons
nouveaux

7
Escalopes de dinde panées
à la purée de patates douces

8
Sauté de dinde à
la marmelade d'oranges

9
Escalopes de veau façon pizza

10
Escalopes de veau à la roquette
et au parmesan

11
Escalopes de veau aux tomates,
à l'aubergine et au fromage

12
Escalopes de veau au citron

13
Sauté de poulet au brocoli

14
Sauté de bœuf thaï

Illico presto

15
Escalopes de porc au marsala

16
Porc grillé à la salade de haricots blancs

17
Porc grillé au citron

18
Roulés de veau au parmesan

19
Roulés de poulet grillé au fromage

20
Roulés de poulet à la pancetta et au parmesan

1 Brochettes de poulet
au citron et aux herbes

- 1 cuil. à soupe de persil ciselé
- 1 cuil. à soupe de romarin ciselé
- 2 cuil. à café de thym ciselé
- 1 gousse d'ail émincée
- 1 cuil. à café de poivre noir concassé
- Le zeste et le jus de 1 citron bio
- 1 cuil. à café de pâte de piment
- 4 escalopes de poulet coupées en cubes
- Quartiers de citron, pour accompagner
- 4 cuil. à soupe d'huile d'olive

Mélangez le persil, le romarin, le thym, l'ail, le poivre, le zeste et le jus de citron, la pâte de piment et 2 cuil. à soupe d'huile dans un petit saladier. Ajoutez le poulet et mélangez bien. Laissez mariner au moins 10 min.

Préchauffez une poêle-gril ou le barbecue à haute température. Piquez le poulet sur des brochettes. Faites-les cuire 10 min en les retournant et en les badigeonnant régulièrement avec les 2 cuil. à soupe d'huile restantes, jusqu'à ce que la viande soit tendre et dorée. Servez chaud avec des quartiers de citron.

POUR 4 PERSONNES • PRÉPARATION 20 MIN • CUISSON 10 MIN • NIVEAU 1

2 Brochettes de poulet
au soja et à la coriandre

- 400 g de riz au jasmin
- 2 cuil. à soupe de sauce thaïe au piment doux
- 2 cuil. à soupe de jus de citron vert
- 1 cuil. à soupe de sauce soja claire
- 1 cuil. à soupe de coriandre ciselée
- 3 escalopes de poulet coupées en tranches
- Sel

Portez une grande casserole d'eau salée à ébullition. Ajoutez le riz en pluie et laissez-le cuire de 10 à 15 min à feu modéré. Égouttez-le.

Mélangez la sauce au piment doux, le jus de citron vert, la sauce soja et la coriandre dans un saladier. Ajoutez le poulet et enrobez-le bien.

Préchauffez une poêle-gril ou le barbecue à haute température. Piquez le poulet sur des brochettes. Faites cuire sur le gril pendant 10 min, jusqu'à ce qu'il soit tendre et doré. Servez avec le riz.

POUR 4 PERSONNES • PRÉPARATION 15 MIN • CUISSON 15 MIN • NIVEAU 1

3 Poulet au citron
et à la sauce aux câpres

- 4 escalopes de poulet
- 150 g de farine
- 90 g de beurre
- 1 cuil. à soupe de câpres égouttées
- 1 cuil. à soupe de zeste de citron bio
- 75 ml de jus de citron
- Pommes de terre nouvelles à l'eau et mesclun, pour accompagner
- Sel, poivre noir du moulin

Retournez le poulet dans la farine salée et poivrée pour bien l'enrober. Tapotez-le pour ôter l'excédent de farine.

Dans une grande poêle, faites chauffer 30 g de beurre à feu modéré. Faites-y revenir le poulet de 6 à 8 min de chaque côté, jusqu'à ce qu'il soit tendre et doré. Déposez dans les assiettes et réservez au chaud.

Ajoutez les 60 g de beurre restants, les câpres, le zeste et le jus de citron. Laissez mijoter 5 min à feu modéré en remuant régulièrement, jusqu'à ce que le mélange épaississe. Salez et poivrez.

Déposez plusieurs cuillerées de sauce sur la viande. Servez chaud avec les pommes de terre et le mesclun.

POUR 4 PERSONNES • PRÉPARATION 10 MIN • CUISSON 20 MIN • NIVEAU 1

Pour varier les plaisirs, remplacez le jus de citron par la même quantité de jus de citron vert.

4 Poulet grillé aux figues
et à la feta

- 4 figues fraîches coupées en deux
- 4 escalopes de poulet
- 150 g de feuilles de roquette
- 150 g de feta
- Le jus et le zeste râpé de 1 orange bio
- 2 cuil. à soupe d'huile d'olive
- Sel, poivre noir du moulin

Préchauffez une poêle-gril ou le barbecue à haute température. Badigeonnez le poulet et les figues avec l'huile. Salez et poivrez. Faites cuire le poulet 5 à 6 min de chaque côté, jusqu'à ce qu'il soit doré et cuit à cœur. Faites cuire les figues 2 à 3 min de chaque côté, jusqu'à ce qu'elles ramollissent légèrement.

Dans un saladier, mélangez la roquette, la feta, le zeste et le jus d'orange. Ajoutez les figues et mélangez délicatement. Coupez le poulet en fines tranches, puis ajoutez-le au mélange. Servez chaud.

POUR 4 PERSONNES • PRÉPARATION 10 MIN • CUISSON 10 À 12 MIN • NIVEAU 1

5 Poulet grillé au citron,
à l'ail et aux tomates

- Le zeste et le jus de 1 citron bio
- 2 gousses d'ail hachées
- 2 cuil. à soupe de persil ciselé
- 4 escalopes de poulet coupées en deux dans le sens de la longueur
- 100 g de feuilles de roquette
- 4 tomates coupées en quartiers
- 4 cuil. à soupe d'huile d'olive
- Sel, poivre noir du moulin

Mélangez l'huile, le zeste et le jus de citron, l'ail et le persil dans un plat. Ajoutez le poulet et enrobez-le bien. Salez et poivrez.

Préchauffez une poêle-gril ou le barbecue à haute température. Faites cuire la viande 5 à 6 min de chaque côté, jusqu'à ce qu'elle soit dorée et cuite à cœur. Servez chaud avec la roquette et les tomates.

POUR 4 PERSONNES • PRÉPARATION 10 MIN • CUISSON 10 À 12 MIN • NIVEAU 1

6 Canard yakitori
aux oignons nouveaux

Sauce yakitori
- 120 ml de sauce soja
- 90 ml de bouillon de poule
- 60 ml de mirin
- 50 g de sucre en poudre

Brochettes
- 800 g de magrets de canard sans le gras, coupés en morceaux de 2,5 cm
- 8 tiges d'oignons nouveaux nettoyées et coupées en morceaux de 5 cm
- Riz long grain à la vapeur, pour accompagner

Préparez la sauce yakitori. Mélangez la sauce soja, le bouillon, le mirin et le sucre dans une petite casserole. Portez à ébullition à feu vif en remuant de temps en temps. Réduisez le feu et laissez mijoter 5 min, jusqu'à ce que la sauce réduise d'un tiers. Laissez refroidir légèrement et versez dans un plat en céramique.

Préparez les brochettes. Piquez les magrets et les tiges d'oignons nouveaux (dans la largeur) sur des brochettes. Déposez les brochettes dans la sauce yakitori, puis tournez-les pour les enrober.

Préchauffez une poêle-gril ou le barbecue à haute température. Faites cuire de 8 à 10 min sur le gril, en badigeonnant régulièrement de sauce yakitori, jusqu'à ce que la viande soit cuite. Servez avec du riz bien chaud.

POUR 4 PERSONNES • PRÉPARATION 10 MIN • CUISSON 8 À 10 MIN • NIVEAU 1

Yakitori est un mot japonais signifiant « volaille » (tori) « grillée » (yaki). La viande est habituellement présentée sur des brochettes. Quant à la sauce, vous pouvez la savourer avec du poulet ou de la dinde. Si vous utilisez des brochettes en bambou, faites-les tremper 30 min dans de l'eau froide avant cuisson.

7 Escalopes de dinde panées
à la purée de patates douces

- 120 g de chapelure fine
- 8 à 10 feuilles de sauge ciselées
- 4 escalopes de dinde de 150 g pièce
- 25 g de farine
- 2 gros œufs légèrement battus
- 800 g de patates douces épluchées et coupées en gros morceaux
- 90 ml de lait chaud
- 30 g de beurre coupé en dés
- 1 pincée de noix muscade
- 2 cuil. à soupe d'huile d'olive
- Sel, poivre noir du moulin

Mélangez la chapelure et la sauge dans une assiette creuse. Salez et poivrez. Retournez la viande dans la farine, puis dans les œufs et enfin dans la chapelure.

Faites bouillir les patates douces environ 10 min, jusqu'à ce qu'elles soient tendres. Égouttez-les et remettez-les dans la casserole. Ajoutez le lait, le beurre, la noix muscade, du sel et du poivre. Écrasez jusqu'à l'obtention d'une purée.

Dans une poêle, faites chauffer l'huile à feu modéré. Faites dorer la viande 3 à 4 min de chaque côté, jusqu'à ce qu'elle soit croustillante. Servez chaud avec de la purée de patates douces.

POUR 4 PERSONNES • PRÉPARATION 15 MIN • CUISSON 10 MIN • NIVEAU 1

8 Sauté de dinde
à la marmelade d'oranges

- 45 g de beurre
- 8 côtelettes de dinde, soit 750 g au total
- 150 g de marmelade d'oranges
- 45 ml de jus d'orange
- 60 ml de bouillon de poule
- 2 bottes d'asperges épluchées
- 1 cuil. à soupe d'huile d'olive
- Sel, poivre noir du moulin

Dans une grande poêle, faites chauffer l'huile et le beurre à feu modéré. Faites dorer la viande pendant 5 à 8 min. Transférez dans un plat et réservez au chaud.

Ajoutez la marmelade, le jus d'orange et le bouillon de poule dans la poêle. Salez et poivrez. Laissez mijoter à feu modéré environ 5 min, jusqu'à épaississement.

Faites cuire les asperges à la vapeur pendant 2 à 4 min – elles doivent rester légèrement croquantes. Disposez les asperges et la viande sur les assiettes. Déposez quelques cuillerées de marmelade et servez chaud.

POUR 4 PERSONNES • PRÉPARATION 10 MIN • CUISSON 15 MIN • NIVEAU 1

9 Escalopes de veau
façon pizza

- 600 g de petites escalopes de veau coupées en fines tranches
- 150 g de farine
- 2 gousses d'ail hachées
- 2 cuil. à soupe de persil ciselé + un peu pour parsemer
- 500 g de tomates mondées et coupées en petits morceaux
- 1 cuil. à soupe de câpres
- 125 g de mozzarella coupée en tranches
- 1 pincée de piment en poudre
- 4 cuil. à soupe d'huile d'olive
- Sel, poivre noir du moulin

Aplatissez légèrement les escalopes à l'aide d'un pilon ou du fond d'une casserole afin de les rendre plus fines et d'épaisseur uniforme. Retournez-les dans la farine, puis tapotez-les pour les débarrasser de l'excédent de farine.

Dans une grande poêle, faites chauffer 2 cuil. à soupe d'huile d'olive à feu vif. Déposez-y les escalopes et faites-les dorer 5 min de chaque côté, en fonction de leur épaisseur. Salez et poivrez. Retirez-les de la poêle et réservez-les au chaud.

Versez l'huile restante dans la poêle. Ajoutez l'ail et le persil, puis faites revenir pendant 2 à 3 min. Ajoutez les tomates et les câpres. Laissez mijoter de 8 à 10 min, jusqu'à réduction du jus. Remettez la viande dans la poêle, en l'arrosant de sauce.

Recouvrez chaque escalope d'une tranche de mozzarella. Salez et poivrez. Laissez mijoter 5 min, jusqu'à ce que la mozzarella commence à fondre.

Parsemez du persil restant et du piment en poudre. Servez chaud.

POUR 4 PERSONNES • PRÉPARATION 10 MIN • CUISSON 25 MIN • NIVEAU 1

Qu'il s'agisse d'escalopes de dinde ou de veau, vous pouvez les battre légèrement pour les attendrir avant la cuisson.

10 Escalopes de veau
à la roquette et au parmesan

- 600 g de petites escalopes de veau coupées en fines tranches
- 3 cuil. à soupe de vinaigre balsamique
- 100 g de roquette grossièrement ciselée
- 150 g de copeaux de parmesan
- 2 cuil. à soupe d'huile d'olive
- Sel, poivre noir du moulin

Aplatissez légèrement les escalopes à l'aide d'un pilon ou du fond d'une casserole afin de les rendre plus fines et d'épaisseur uniforme. Salez et poivrez.

Dans une grande poêle, faites chauffer l'huile d'olive à feu vif. Déposez-y les escalopes et faites-les dorer 5 min de chaque côté, en fonction de leur épaisseur. Arrosez de vinaigre balsamique et laissez-le évaporer. Ajoutez la roquette et laissez-la cuire 1 min pour qu'elle fane légèrement.

Retirez de la poêle et laissez reposer 3 min. Parsemez de parmesan, salez et poivrez. Servez chaud.

POUR 4 PERSONNES • PRÉPARATION 10 MIN • CUISSON 10 MIN • NIVEAU 1

11 Escalopes de veau
aux tomates, à l'aubergine et au fromage

- 600 g de petites escalopes de veau coupées en fines tranches
- 30 g de beurre
- 4 tranches de mozzarella
- 2 tomates coupées en deux
- 1 grosse aubergine coupée en rondelles
- 250 ml de bouillon de bœuf
- 4 tiges de thym
- 5 cuil. à soupe d'huile d'olive

Aplatissez légèrement les escalopes à l'aide d'un pilon ou du fond d'une casserole. Dans une grande poêle, faites chauffer le beurre et 3 cuil. à soupe d'huile à feu vif. Déposez-y les escalopes et faites-les dorer 5 min de chaque côté, en fonction de leur épaisseur.

Préchauffez le gril du four. Placez les escalopes dans un plat allant au four. Déposez 1 tranche de mozzarella sur chaque escalope, puis enfournez pour 2 min, jusqu'à ce que la mozzarella commence à fondre. Placez les tomates et l'aubergine dans un petit plat allant au four. Badigeonnez-les avec les 2 cuil. à soupe d'huile restantes et enfournez pour 5 min, jusqu'à ce qu'elles soient fondantes. Déposez les escalopes dans un plat de service, recouvrez-les de 2 rondelles d'aubergine et d'une demi-tomate. Réchauffez le jus de cuisson, le bouillon et le thym. Arrosez les escalopes et servez chaud.

POUR 4 PERSONNES • PRÉPARATION 10 MIN • CUISSON 15 MIN • NIVEAU 1

12 Escalopes de veau au citron

- 600 g de petites escalopes de veau coupées en fines tranches
- 75 g de farine
- 45 g de beurre
- 120 ml de bouillon de bœuf
- Le jus de 1 citron
- 1 cuil. à soupe de persil ciselé
- Salade verte, pour accompagner
- 2 cuil. à soupe d'huile d'olive
- Sel, poivre noir du moulin

Aplatissez légèrement les escalopes à l'aide d'un pilon ou du fond d'une casserole afin de les rendre plus fines et d'épaisseur uniforme. Salez et poivrez. Retournez-les dans la farine, puis tapotez-les pour les débarrasser de l'excédent de farine.

Dans une grande poêle, faites chauffer le beurre et l'huile d'olive à feu vif. Déposez-y les escalopes et faites-les dorer 2 à 3 min de chaque côté. Réduisez à feu modéré et laissez cuire en mouillant avec un peu de bouillon. Laissez cuire de 7 à 10 min, jusqu'à ce que la viande soit cuite à votre convenance. Éteignez le feu, arrosez de jus de citron et parsemez de persil. Servez chaud avec de la salade.

POUR 4 PERSONNES • PRÉPARATION 10 MIN • CUISSON 12 À 15 MIN • NIVEAU 1

N'hésitez pas à remplacer le jus de citron par du jus d'orange fraîchement pressée et à parsemer de copeaux de parmesan.

13 Sauté de poulet au brocoli

- 80 g de noix de cajou
- 800 g de cuisses de poulet désossées, sans la peau
- 1 oignon émincé
- 1 brocoli séparé en bouquets
- 3 gousses d'ail écrasées
- 120 ml de sauce d'huître
- 3 cuil. à soupe de sauce soja
- Riz au jasmin à la vapeur, pour accompagner
- 3 cuil. à soupe d'huile d'arachide

Dans un wok, faites chauffer 1 cuil. à soupe d'huile à feu vif. Faites-y dorer les noix de cajou pendant 2 à 3 min. Transférez-les dans une assiette. Dans le même wok, faites chauffer 1 cuil. à soupe d'huile à feu vif. Faites dorer la moitié du poulet pendant 3 à 4 min, jusqu'à ce qu'il soit presque cuit. Transférez dans un plat. Faites cuire le restant de poulet.

Dans le wok, faites chauffer la cuillerée à soupe d'huile restante. Faites-y suer l'oignon pendant 2 min. Ajoutez le brocoli et l'ail. Faites revenir 2 min, jusqu'à ce que le brocoli soit vert vif. Ajoutez la sauce d'huître, la sauce soja et le poulet. Faites bien chauffer le tout. Parsemez de noix de cajou et remuez. Servez chaud avec du riz.

POUR 4 PERSONNES • PRÉPARATION 15 MIN • CUISSON 15 MIN • NIVEAU 1

14 Sauté de bœuf thaï

- 300 g de riz au jasmin
- 400 ml de lait de coco
- ½ cuil. à café de sel
- 2 cuil. à soupe de sauce de poisson
- 2 cuil. à soupe de sauce soja
- 1 cuil. à café de sucre en poudre
- 3 gousses d'ail coupées en rondelles
- 3 piments rouges longs épépinés et coupés en allumettes de 5 cm
- 600 g d'aloyau de bœuf émincé
- 50 g de feuilles de basilic ciselées
- 1 cuil. à soupe d'huile végétale

Passez le riz sous l'eau froide jusqu'à ce que l'eau soit claire. Dans une casserole, mélangez le riz, le lait de coco, 180 ml d'eau et le sel. Portez à ébullition à feu vif. Réduisez le feu et laissez mijoter de 12 à 15 min à couvert, jusqu'à ce que le riz soit tendre et que le liquide ait été absorbé.

Dans un bol, mélangez la sauce de poisson, la sauce soja et le sucre. Dans un wok, faites chauffer l'huile à feu vif, puis faites revenir l'ail et la moitié du piment pendant 15 sec. Faites-y dorer le bœuf pendant 4 min. Arrosez de sauce et laissez cuire 30 s. Ajoutez le basilic et le piment restant. Mélangez bien. Servez chaud sur un lit de riz au lait de coco.

POUR 4 PERSONNES • PRÉPARATION 10 MIN • CUISSON 20 MIN • NIVEAU 1

15 Escalopes de porc
au marsala

- 30 g de beurre
- 2 gousses d'ail pilées mais entières
- 8 escalopes de porc fines, soit 600 g au total
- 120 ml de marsala sec
- 1 cuil. à café de fécule de maïs
- 2 cuil. à soupe d'huile d'olive
- Sel, poivre noir du moulin

Dans une grande casserole, faites chauffer 15 g de beurre avec l'huile à feu modéré. Faites-y légèrement dorer l'ail. Retirez du feu et jetez l'ail.

Ajoutez la viande, salez et poivrez. Faites cuire 2 à 3 min de chaque côté. Transvasez la viande dans un plat et réservez dans un four chaud.

Dans la casserole, ajoutez le marsala, les 15 g de beurre restants et la fécule de maïs. Mélangez bien le tout et laissez cuire à feu modéré jusqu'à ce que le mélange épaississe. Arrosez la viande avec cette sauce et servez chaud.

POUR 4 PERSONNES • PRÉPARATION 15 MIN • CUISSON 15 MIN • NIVEAU 1

Le marsala est un vin de liqueur issu de la région de Marsala, dans l'ouest de la Sicile. Il est largement utilisé en cuisine, surtout en Italie et aux États-Unis. Vous pouvez le remplacer par du xérès sec, si vous préférez.

16 Porc grillé à la salade
de haricots blancs

- 400 g de haricots cannellini ou de haricots blancs en boîte égouttés
- 2 tomates coupées en dés
- 125 g de feta émiettée
- 1 cuil. à soupe d'origan séché
- 4 tranches de filet de porc
- 1 citron coupé en quartiers, pour servir
- Tzatziki (voir page 101), pour accompagner
- 2 cuil. à soupe d'huile d'olive
- Sel, poivre noir du moulin

Dans un saladier, mélangez les haricots, les tomates, la feta, l'origan et 1 cuil. à soupe d'huile. Salez et poivrez.

Préchauffez une poêle-gril ou le barbecue à haute température. Arrosez la viande avec la cuillerée à soupe d'huile restante. Salez et poivrez. Faites griller la viande 4 à 5 min de chaque côté. Disposez sur les assiettes. Déposez la salade de haricots sur chaque tranche de viande. Servez chaud avec les quartiers de citron et le tzatziki.

POUR 4 À 6 PERSONNES • PRÉPARATION 15 MIN • CUISSON 8 À 10 MIN • NIVEAU 1

17 Porc grillé au citron

- 8 à 12 feuilles de sauge fraîche
- 4 tranches de filet de porc
- 30 g de beurre
- 2 gousses d'ail hachées
- 60 ml de bouillon de poule
- 500 g d'asperges
- Le zeste et le jus de 1 citron bio
- 2 cuil. à soupe d'huile d'olive
- Sel, poivre noir du moulin

Dans une grande poêle, faites revenir la sauge avec l'huile 2 min à feu vif, jusqu'à ce qu'elle soit croustillante. Retirez la sauge de la poêle et laissez-la égoutter sur du papier absorbant. Faites revenir la viande dans l'huile parfumée à la sauge 4 à 5 min de chaque côté. Réservez au chaud.

Mettez le beurre, l'ail, le bouillon de poule et les asperges dans la poêle. Portez à ébullition et laissez cuire 3 min, jusqu'à ce que les asperges soient tendres. Incorporez le jus de citron, salez et poivrez. Transférez les asperges sur les assiettes. Déposez la viande et arrosez le tout de jus de cuisson. Garnissez avec le zeste de citron et la sauge. Servez chaud.

POUR 4 À 6 PERSONNES • PRÉPARATION 10 MIN • CUISSON 15 MIN • NIVEAU 1

18 Roulés de veau au parmesan

- 120 g de beurre
- 2 cuil. à soupe de persil ciselé
- 2 gousses d'ail hachées
- 150 g de chapelure fine
- 150 g de parmesan râpé
- 2 gros œufs légèrement battus
- 12 petites escalopes de veau fines
- 1 petit oignon finement émincé
- 2 cuil. à soupe de concentré de tomate dilué dans 120 ml d'eau
- Sel, poivre noir du moulin

Dans une petite casserole, faites fondre 60 g de beurre sur feu doux. Ajoutez le persil, l'ail, la chapelure fine, le parmesan, les œufs, du sel et du poivre. Mélangez bien le tout.

Déposez la viande sur un plan de travail propre. Étalez le mélange à base de chapelure fine des 2 côtés. Enroulez et fermez avec des cure-dents.

Dans une grande poêle, faites chauffer 60 g beurre à feu modéré. Faites suer l'oignon pendant 3 à 4 min. Ajoutez le concentré de tomate, salez et poivrez.

Déposez les roulés dans la poêle, en veillant à ce qu'ils ne se chevauchent pas. Couvrez et laissez mijoter 10 min à feu doux, en les retournant régulièrement, jusqu'à ce qu'ils soient cuits. Servez chaud.

POUR 4 À 6 PERSONNES • PRÉPARATION 15 MIN • CUISSON 15 MIN • NIVEAU 2

Ces roulés peuvent se déguster avec du riz, des pommes de terre ou de la baguette fraîche, qui permettra de saucer.

19 Roulés de poulet grillé au fromage

- 4 escalopes de poulet
- 150 g de gruyère coupé en tranches fines
- 2 cuil. à soupe de ciboulette ciselée
- 90 g de beurre
- 1 botte d'épinards nettoyés
- 1 pincée de noix muscade
- 1 cuil. à soupe d'huile d'olive
- Sel, poivre noir du moulin

Préchauffez le four à 200 °C (th. 6-7). Tapissez une lèchefrite de papier sulfurisé. Pratiquez une entaille dans chaque blanc de poulet de manière à former une poche – veillez à ne pas trancher les morceaux de viande. Fourrez de fromage et de ciboulette.

Dans une grande poêle, faites chauffer l'huile sur feu modéré à vif. Faites dorer le poulet 2 min de chaque côté, en plusieurs fois. Transférez le poulet sur la lèchefrite. Enfournez pour 6 à 8 min de cuisson. Couvrez et laissez reposer 5 min.

Dans la poêle, faites chauffer le beurre à feu modéré. Faites légèrement faner les épinards, pendant 2 à 3 min. Salez, poivrez et saupoudrez de noix muscade. Découpez la viande et servez chaud avec les épinards.

POUR 4 PERSONNES • PRÉPARATION 15 MIN • CUISSON 15 MIN • NIVEAU 2

20 Roulés de poulet
à la pancetta et au parmesan

- 400 g de riz à grain court
- 2 escalopes de poulet coupées en 8 filets
- 8 tranches de pancetta ou de poitrine fumée
- 90 g de parmesan coupé en dés
- 15 à 20 feuilles de sauge fraîche
- ¼ de cuil. à café de noix muscade fraîchement râpée
- 90 ml de vin blanc
- 4 cuil. à soupe d'huile d'olive
- Sel

Faites cuire le riz dans une grande casserole d'eau bouillante salée pendant 15 min, jusqu'à ce qu'il soit tendre. Égouttez-le et rincez-le.

Placez les filets sur un plan de travail propre. Sur chacun d'eux, déposez 1 tranche de pancetta, du parmesan et 1 feuille de sauge. Assaisonnez avec de la noix muscade. Enroulez les filets et refermez-les avec un cure-dent.

Dans une grande poêle, faites chauffer l'huile à feu vif. Faites-y dorer le poulet pendant 3 min. Arrosez avec le vin. Poursuivez la cuisson pendant 10 à 12 min à feu modéré, en remuant régulièrement, jusqu'à ce que le tout soit cuit et doré. Servez chaud avec du riz.

POUR 4 PERSONNES • PRÉPARATION 15 MIN • CUISSON 15 MIN • NIVEAU 2

Poulet au four aux abricots
et au riz

Porc au four aux pommes
et à la purée

Steak au poivre
à la roquette

4

Steak balsamique aux oignons
caramélisés

Steak grillé et salade
de tomates

Roulé de veau au fromage
et au jambon de Parme

Agneau rôti au miel
et purée de panais

Côtelettes d'agneau au halloumi

Côtelettes d'agneau panées

Brochettes de poulet cajun

Brochettes d'agneau haché
et semoule à la menthe

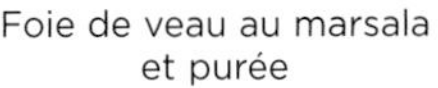
Foie de veau au marsala
et purée

Poulet teriyaki

Travers de porc
à la chinoise

Plats minimalistes

Mijoté de veau à la crème

Agneau au lait de coco
sur son lit de riz

Bœuf vindaloo
sur son lit de riz

Escalopes de veau
au parmesan

Poulet à l'orange et semoule
de couscous

Poulet balsamique
aux tomates rôties

1 Poulet au four
aux abricots et au riz

- 400 g d'oreillons d'abricot au sirop + la moitié du sirop
- 250 ml de bouillon de poule
- 1 cuil. à soupe de vinaigre de cidre
- 4 escalopes de poulet
- 300 g de riz basmati
- Sel

Préchauffez le four à 190 °C (th. 6-7). Dans une casserole de taille moyenne, mélangez les abricots, le sirop, le bouillon de poule et le vinaigre de cidre. Portez le tout à ébullition.

Disposez les escalopes sur un plat allant au four en veillant à ce qu'elles ne se chevauchent pas. Arrosez du mélange à base d'abricots. Enfournez pour 10 min. Retirez du four et arrosez avec le jus. Remettez au four pour 15 min, en mouillant avec le jus toutes les 5 min.

Portez une grande casserole d'eau salée à ébullition. Versez-y le riz et laissez-le cuire de 10 à 15 min, jusqu'à ce qu'il soit tendre. Égouttez bien. Servez le riz dans des assiettes, arrosez de poulet et de sauce. Servez chaud.

POUR 4 PERSONNES • PRÉPARATION 10 MIN • CUISSON 25 À 30 MIN • NIVEAU 1

2 Porc au four
aux pommes et à la purée

- 6 pommes golden coupées en deux et évidées
- 500 ml de vin blanc sec
- 2 filets de porc, soit 500 g environ au total
- Purée de pommes de terre à l'ail (voir page 136), pour accompagner
- 4 cuil. à soupe d'huile d'olive
- Sel, poivre noir du moulin

Mettez les pommes dans un saladier, arrosez de vin et laissez mariner pendant au moins 2 h.

Préchauffez le four à 200 °C (th. 6-7). Égouttez la viande en réservant la marinade. Salez et poivrez la viande, puis placez-la dans un plat allant au four avec l'huile. Enfournez pour 10 min, puis mouillez avec la moitié de la marinade. Retournez la viande et laissez-la cuire 20 min.

Disposez les pommes autour de la viande. Arrosez avec un peu de vin si la viande semble trop sèche. Poursuivez la cuisson 30 min, jusqu'à ce que le tout soit cuit à cœur. Coupez et présentez dans un plat de service. Servez chaud avec de la purée de pommes de terre à l'ail.

POUR 4 PERSONNES • PRÉPARATION 10 MIN + 2 H POUR LA MARINADE • CUISSON 1 H • NIVEAU 1

3 Steak au poivre
à la roquette

- 750 g d'aloyau
- 2 à 3 cuil. à soupe de grains de poivre noir entiers
- 100 à 150 g de pousses de roquette
- 4 cuil. à soupe d'huile d'olive
- Sel, poivre noir du moulin

Placez la viande sur un plan de travail et salez-la généreusement. Placez les grains de poivre sur le plan de travail et recouvrez-les d'un film alimentaire. À l'aide d'un pilon ou d'un rouleau à pâtisserie, concassez le poivre. Parsemez-en la viande, puis faites-le pénétrer en appuyant avec le bout des doigts.

Préchauffez une poêle-gril ou le barbecue à haute température. Arrosez de 1 cuil. à soupe d'huile. Faites cuire la viande de 5 à 8 min, selon l'épaisseur, de manière à ce qu'elle soit grillée à l'extérieur et cuite selon vos goûts. Transférez sur un plat de service ou une planche à découper.

Mettez la roquette dans un saladier, salez, poivrez et arrosez avec les 3 cuil. à soupe d'huile restantes. Mélangez bien.

Coupez la viande et servez-la chaude avec la salade de roquette.

POUR 4 PERSONNES • PRÉPARATION 15 MIN • CUISSON 5 À 8 MIN • NIVEAU 1

Pour d'autres saveurs, vous pouvez ajouter le jus de 1 citron fraîchement pressé dans l'huile de la salade.

4 Steak balsamique
aux oignons caramélisés

- 6 oignons émincés
- 180 ml de vinaigre balsamique
- 4 tranches épaisses de filet de bœuf de 180 g pièce
- 100 g de roquette
- 4 cuil. à soupe d'huile d'olive

Dans une grande poêle, faites chauffer 2 cuil. à soupe d'huile à feu doux. Laissez-y caraméliser les oignons pendant 30 min. Dans une petite casserole, faites chauffer le vinaigre à feu modéré jusqu'à ce qu'il réduise de moitié.

Dans une grande poêle, faites chauffer les 2 cuil. à soupe d'huile restantes à feu modéré. Faites cuire la viande 3 à 4 min de chaque côté. Retirez du feu, couvrez et laissez reposer 5 min.

Déposez la viande sur des assiettes et déposez-y les oignons. Arrosez de sauce balsamique et servez avec de la roquette.

POUR 4 PERSONNES • PRÉPARATION 15 MIN • CUISSON 30 MIN • NIVEAU 1

5 Steak grillé
et salade de tomates

- 4 tranches épaisses de filet de bœuf de 180 g pièce (2 cm d'épaisseur)
- 180 ml de sauce barbecue
- 6 tomates émincées
- 1 oignon rouge émincé
- 50 g d'olives noires

Mettez la viande dans un saladier et arrosez-la de sauce barbecue. Couvrez et laissez reposer 1 h au réfrigérateur.

Préchauffez une poêle-gril ou le barbecue à haute température. Faites cuire la viande de 5 à 10 min, selon votre goût. Retirez-la du gril, couvrez et laissez reposer 5 min.

Servez la viande sur des assiettes, déposez-y les rondelles de tomate et d'oignon ainsi que les olives.

POUR 4 PERSONNES • PRÉPARATION 10 MIN + 1 H POUR LA MARINADE • CUISSON 5 À 10 MIN • NIVEAU 1

6 Roulé de veau au fromage
et au jambon de Parme

- 1 grande tranche de rumsteak de veau de 750 g
- 120 g de jambon de Parme
- 180 g de fromage italien fontina ou de mozzarella en tranches
- 500 ml de lait
- 4 cuil. à soupe d'huile d'olive
- Sel, poivre noir du moulin

Retirez le gras de la viande. Couvrez-la avec du film alimentaire pour éviter qu'elle ne se détache en morceaux et pilez-la délicatement à l'aide du fond d'une casserole jusqu'à l'obtention d'une grande tranche fine.

Salez et poivrez, puis recouvrez de tranches de jambon de Parme et de fromage. Roulez la viande en serrant bien, dans le sens de la longueur, de manière à faciliter la découpe. Maintenez le roulé à l'aide de ficelle de cuisine.

Dans une casserole à fond épais de la taille du roulé, faites chauffer l'huile à feu modéré à doux. Faites dorer le roulé sur toutes les faces, puis salez et poivrez. Versez le lait (qui doit recouvrir le rouleau). Couvrez partiellement la casserole et laissez mijoter 1 h à feu modéré, jusqu'à réduction du lait. Retournez de temps en temps en cours de cuisson.

Transférez sur un plat de service, découpez et servez chaud avec la sauce.

POUR 4 PERSONNES • PRÉPARATION 15 MIN • CUISSON 1 H • NIVEAU 2

Vous pouvez préparer le roulé de veau à l'avance et le réchauffer ou le servir froid. Si vous le servez froid, réchauffez la sauce et arrosez-en le roulé. Vous pouvez l'accompagner de salade verte, de pommes de terre à l'eau ou de riz.

7 Agneau rôti au miel
et purée de panais

- 1,5 kg de carré d'agneau
- 125 ml de moutarde au miel
- 8 à 10 panais, épluchés et coupés en dés
- 120 ml de crème fraîche
- 6 cuil. à soupe d'huile d'olive

Mettez la viande dans un saladier. Badigeonnez-la de moutarde au miel et d'huile. Recouvrez de film alimentaire et laissez mariner pendant 1 h au réfrigérateur.

Préchauffez le four à 180 °C (th. 6). Disposez la viande en une seule épaisseur dans un grand plat allant au four. Enfournez pour 25 à 30 min de cuisson, jusqu'à ce qu'elle soit tendre. Laissez reposer 10 min.

Dans une grande casserole d'eau bouillante, faites cuire les panais 8 à 10 min, jusqu'à ce qu'ils soient fondants. Égouttez-les et remettez-les dans la casserole. Ajoutez la crème fraîche et écrasez jusqu'à l'obtention d'une purée.

Découpez la viande et servez chaud avec la purée de panais.

POUR 4 PERSONNES • PRÉPARATION 10 MIN + 1 H POUR LA MARINADE • CUISSON 35 À 40 MIN • NIVEAU 1

8 Côtelettes d'agneau au halloumi

- 12 côtelettes d'agneau de 1,5 cm d'épaisseur
- Le zeste et le jus de 2 citrons bio
- 250 g de halloumi coupé en tranches épaisses
- 150 g de roquette
- 3 cuil. à soupe d'huile d'olive

Dans un saladier, mettez la viande, 1 cuil. à soupe d'huile, le zeste et le jus de 1 citron. Couvrez et laissez reposer 1 h au réfrigérateur.

Égouttez la viande. Dans une grande poêle antiadhésive, faites-la cuire 4 à 5 min de chaque côté de feu modéré à vif. Retirez de la poêle et réservez.

Faites dorer le fromage dans 1 cuil. à soupe d'huile à feu vif, 2 min de chaque côté. Égouttez sur du papier absorbant.

Mélangez la roquette, le fromage, la cuillerée à soupe d'huile restante, le zeste et le jus de citron restants dans un petit saladier. Disposez la salade sur les assiettes et déposez-y la viande. Servez chaud.

POUR 4 PERSONNES • PRÉPARATION 10 MIN + 1 H POUR LA MARINADE • CUISSON 12 À 15 MIN • NIVEAU 1

9 Côtelettes d'agneau panées

- 8 côtelettes d'agneau
- 75 g de farine
- 1 gros œuf
- 150 g de chapelure fine
- 250 ml d'huile végétale, pour la cuisson
- Sel

Pilez légèrement les côtelettes à l'aide d'un pilon ou du fond d'une casserole afin qu'elles soient les plus fines possible.

Salez-les, retournez-les dans la farine, puis tapotez-les pour ôter l'excédent de farine. Retournez-les dans l'œuf battu, puis dans la chapelure.

Dans une sauteuse, faites chauffer l'huile à 190 °C.
Si vous n'avez pas de thermomètre de cuisson, vérifiez la température de l'huile en y lâchant un petit morceau de pain. Si des bulles se forment à la surface et que le pain dore instantanément, l'huile est à bonne température.

Faites dorer les côtelettes de 5 à 10 min, en fonction de l'épaisseur, en les retournant régulièrement.

Égouttez-les sur du papier absorbant et servez très chaud.

POUR 4 PERSONNES • PRÉPARATION 10 MIN • CUISSON 5 À 10 MIN • NIVEAU 1

Certains apprécient la saveur distinctive de l'agneau tandis que d'autres la trouvent trop forte. N'oubliez pas que plus l'animal est âgé, plus sa chair est forte. Si vous voulez une chair tendre et raffinée, préférez le jeune agneau au mouton.

10 Brochettes de poulet cajun

- 2 cuil. à soupe de mélange d'épices cajun
- 6 escalopes de poulet coupées en petits morceaux
- 300 g de riz long grain
- 400 g de haricots rouges en boîte égouttés
- 3 cuil. à soupe d'huile d'olive
- Sel

Dans un saladier, mélangez l'huile et le mélange d'épices. Enrobez les morceaux d'escalopes de ce mélange. Couvrez de film alimentaire et laissez mariner 1 h au réfrigérateur. Piquez les morceaux de viande sur des brochettes en fer et réservez.

Portez une grande casserole d'eau salée à ébullition. Versez le riz et laissez-le cuire 12 min à feu modéré. Ajoutez les haricots et laissez-les cuire 3 min, le temps d'achever la cuisson du riz. Égouttez bien le tout.

Préchauffez une poêle-gril ou le barbecue à haute température. Faites cuire les brochettes 5 min de chaque côté, jusqu'à ce qu'elles soient cuites à cœur. Servez chaud avec le riz aux haricots rouges.

POUR 4 À 6 PERSONNES • PRÉPARATION 15 MIN
+ 1 H POUR LA MARINADE • CUISSON 15 À 20 MIN • NIVEAU 1

11 Brochettes d'agneau haché
et semoule à la menthe

- 750 g de viande hachée d'agneau
- 1 poivron rouge épépiné et émincé
- 400 g de semoule de couscous précuite
- 3 cuil. à soupe de menthe ciselée
- 500 ml de bouillon de poule chaud

Dans un robot ménager, mélangez la viande et le poivron jusqu'à l'obtention d'une pâte grossière. Humidifiez-vous les mains et formez 12 saucisses. Piquez les saucisses sur des brochettes en métal.

Dans un saladier, mélangez la semoule et la menthe. Versez le bouillon sur la semoule. Couvrez le saladier et laissez gonfler pendant environ 10 min. Ensuite, égrenez à la fourchette.

Préchauffez une poêle-gril ou le barbecue à haute température. Faites cuire les brochettes 5 min de chaque côté, jusqu'à ce qu'elles soient cuites à cœur. Servez chaud sur un lit de semoule à la menthe.

POUR 4 PERSONNES • PRÉPARATION 15 MIN • CUISSON 10 MIN • NIVEAU 1

12 Foie de veau au marsala
et purée

- 500 g de foie de veau coupé en fines tranches
- 75 g de farine
- 90 g de beurre
- 90 ml de marsala sec
- Purée de pommes de terre, pour accompagner
- Sel, poivre noir du moulin

Salez et poivrez la viande. Retournez-la dans la farine et tapotez-la pour ôter l'excédent de farine.

Dans une grande poêle, faites fondre le beurre à feu modéré à vif. Laissez-y cuire le foie pendant 2 à 3 min sur une face, jusqu'à ce qu'il soit tendre. Retournez la viande, ajoutez le marsala et poursuivez la cuisson de 2 à 3 min.

Transférez dans un plat de service préchauffé. Servez chaud avec de la purée de pommes de terre.

POUR 4 PERSONNES • PRÉPARATION 10 MIN • CUISSON 5 À 10 MIN • NIVEAU 1

Le foie de veau est un aliment très nutritif. C'est une excellente source de protéines, de vitamine A, de vitamines B et de minéraux. Très riche en cholestérol, il ne doit cependant pas être consommé tous les jours.

13 Poulet teriyaki

- 20 ailes de poulet
- 180 ml de sauce teriyaki
- 6 tomates coupées en morceaux
- 3 cuil. à soupe de feuilles de coriandre
- 300 g de riz basmati
- Sel

Mettez les ailes de poulet dans un saladier et arrosez-les de sauce teriyaki. Couvrez avec du film alimentaire et laissez reposer 1 h au réfrigérateur.

Mélangez les tomates et la coriandre dans un petit saladier. Portez une grande casserole d'eau salée à ébullition. Versez le riz en pluie et laissez-le cuire de 10 à 15 min à feu modéré. Égouttez-le et réservez-le au chaud.

Préchauffez une poêle-gril ou le barbecue à haute température. Faites cuire le poulet 5 min de chaque côté, jusqu'à ce qu'il soit cuit à cœur. Servez chaud avec les tomates et le riz.

POUR 4 PERSONNES • PRÉPARATION 10 MIN + 1 H POUR LA MARINADE • CUISSON 20 À 25 MIN • NIVEAU 1

14 Travers de porc à la chinoise

- 12 travers de porc
- 150 ml de sauce aux prunes chinoise (ou autre sauce aigre-douce)
- 300 g de riz sauvage
- 3 cuil. à soupe d'huile de sésame
- 3 cuil. à soupe de feuilles de coriandre
- Sel

Mettez les travers de porc dans un saladier et arrosez-les de sauce aux prunes. Recouvrez d'un film transparent et laissez reposer 1 h au réfrigérateur.

Portez une grande casserole d'eau salée à ébullition. Versez le riz en pluie et laissez-le cuire de 10 à 15 min à feu modéré. Égouttez et réservez.

Mettez une poêle-gril sur feu modéré. Badigeonnez le gril à l'huile de sésame. Faites griller la viande 5 à 6 min de chaque côté, jusqu'à ce qu'elle soit cuite à cœur.

Sur les assiettes, disposez un lit de riz, puis surmontez-le avec les travers. Garnissez de coriandre. Servez chaud.

POUR 4 PERSONNES • PRÉPARATION 5 MIN + 1 H POUR LA MARINADE • CUISSON 20 À 30 MIN • NIVEAU 1

15 Mijoté de veau à la crème

- 625 g de veau (jarret ou épaule), coupé en cubes de 3 cm de côté
- 60 g de beurre
- 1 à 2 cuil. à soupe de farine
- 375 ml de crème liquide légère + un peu plus au besoin
- Riz, pour accompagner
- Sel, poivre blanc du moulin

Salez et poivrez la viande. Dans une casserole à fond épais, faites fondre 15 g de beurre à feu modéré, jusqu'à ce qu'il cesse de mousser. Faites-y dorer la viande pendant 10 à 15 min, en remuant fréquemment.

Pendant ce temps, faites fondre 45 g de beurre dans une petite casserole. Ajoutez la farine et remuez pendant 2 à 3 min avec une cuillère en bois, à feu modéré, jusqu'à l'obtention d'une légère coloration. Ajoutez ce roux à la viande et laissez mijoter le tout quelques minutes, sans cesser de mélanger.

Incorporez la crème. Couvrez et laissez mijoter au moins 1 h à feu doux, jusqu'à ce que la viande soit bien tendre. Remuez régulièrement en cours de cuisson. Si la sauce devient trop épaisse, ajoutez 1 à 2 cuil. à soupe d'eau ou de crème. La sauce doit être copieuse.

Rectifiez l'assaisonnement et servez chaud avec du riz.

POUR 4 PERSONNES • PRÉPARATION 15 MIN • CUISSON 1 H 30 • NIVEAU 1

Pour davantage de couleurs et de saveurs, vous pouvez parsemer le mijoté avec du persil plat grossièrement ciselé, juste avant de servir.

16 Agneau au lait de coco
sur son lit de riz

- 800 g de filet d'agneau coupé en cubes
- 6 tomates coupées en petits dés
- 500 ml de lait de coco
- 300 g de riz basmati
- Sel, poivre blanc du moulin

Dans une grande poêle, faites cuire la viande avec les tomates à feu modéré pendant 2 min. Versez le lait de coco, salez et poivrez. Couvrez et laissez cuire à feu doux, de 35 à 40 min, jusqu'à ce que la viande soit tendre.

Portez une grande casserole d'eau salée à ébullition. Versez le riz en pluie et laissez-le cuire de 10 à 15 min à feu modéré. Égouttez-le bien.

Parsemez l'agneau de coriandre, puis servez-le arrosé de sauce sur un lit de riz.

POUR 4 PERSONNES • PRÉPARATION 10 MIN • CUISSON 45 À 55 MIN • NIVEAU 1

17 Bœuf vindaloo
sur son lit de riz

- 800 g de collier de bœuf coupé en cubes
- 2 cuil. à soupe de pâte de curry vindaloo (dans les épiceries fines ou exotiques)
- 250 ml de bouillon de bœuf
- 2 oignons émincés
- 300 g de riz basmati
- Sel

Dans une grande poêle, mélangez la viande et la pâte de curry. Faites cuire 1 min de feu modéré à vif, jusqu'à ce que le mélange libère ses parfums. Ajoutez 1 cuil. à soupe de bouillon pour déglacer, puis transférez la viande dans une casserole de taille moyenne.

Ajoutez les oignons et le bouillon restant dans la casserole. Couvrez et laissez mijoter 1 h à feu modéré en mélangeant régulièrement. Retirez le couvercle et laissez mijoter environ 30 min, jusqu'à ce que le bœuf soit bien tendre.

Portez une grande casserole d'eau salée à ébullition. Versez le riz en pluie et laissez-le cuire de 10 à 15 min à feu modéré. Égouttez-le. Servez chaud.

POUR 4 PERSONNES • PRÉPARATION 10 MIN • CUISSON 1 H 30 • NIVEAU 1

18 Escalopes de veau
au parmesan

- 600 g de petites escalopes de veau très fines
- 1 gros œuf
- 90 g de beurre
- 90 g de copeaux de parmesan
- 125 ml de bouillon de bœuf
- Sel

Pilez légèrement les escalopes à l'aide d'un pilon de manière à uniformiser leur épaisseur.

Battez légèrement l'œuf avec 1 pincée de sel. Retournez les escalopes dans l'œuf battu.

Dans une grande poêle, faites chauffer le beurre à feu modéré. Déposez les escalopes et faites-les légèrement dorer 2 à 3 min de chaque côté, en fonction de leur épaisseur.

Disposez les escalopes dans une cocotte graissée, en veillant à ce qu'elles ne se chevauchent pas. Recouvrez de copeaux de parmesan. Versez le bouillon, couvrez et laissez mijoter de 8 à 10 min à feu modéré, jusqu'à ce que le fromage ait fondu. Servez chaud.

POUR 4 PERSONNES • PRÉPARATION 10 MIN • CUISSON 10 À 12 MIN • NIVEAU 1

Servez les escalopes avec du riz bien chaud, de la purée de pommes de terre ou des pommes de terre au four, qui absorberont le jus de cuisson. Ajoutez quelques feuilles de salade verte pour alléger le plat.

19 Poulet à l'orange
et semoule de couscous

- Le zeste et le jus de 2 oranges bio
- 2 cuil. à soupe de miel
- 4 blancs de poulet avec la peau
- 300 g de semoule de couscous précuite
- 375 ml de bouillon de poule chaud

Dans un saladier, mélangez le jus d'orange et le miel. Recouvrez le poulet de ce mélange. Couvrez et laissez mariner 1 h au réfrigérateur.

Mettez la semoule dans un petit saladier. Ajoutez le bouillon de poule et le zeste d'orange. Couvrez et laissez reposer 10 min, jusqu'à absorption complète du liquide. Ensuite, égrenez à la fourchette.

Préchauffez une poêle-gril ou le barbecue à haute température. Faites griller la viande 5 min de chaque côté, jusqu'à ce qu'elle soit cuite à cœur. Découpez-la et servez-la chaude avec de la semoule.

POUR 4 PERSONNES • PRÉPARATION 20 MIN + 1 H POUR LA MARINADE • CUISSON 10 MIN • NIVEAU 1

20 Poulet balsamique
aux tomates rôties

- 125 ml de vinaigre balsamique
- 4 blancs de poulet avec la peau
- 16 tomates cerise
- 6 cuil. à soupe d'huile d'olive
- Sel, poivre noir du moulin

Dans un bol, mélangez le vinaigre et 4 cuil. à soupe d'huile d'olive. Badigeonnez le poulet de ce mélange. Couvrez et laissez reposer 1 h au réfrigérateur.

Préchauffez le four à 180 °C (th. 6). Placez les tomates sur une feuille de papier sulfurisé et arrosez-les avec l'huile restante. Salez et poivrez. Laissez cuire de 10 à 15 min, jusqu'à ce que les tomates deviennent fondantes.

Préchauffez une poêle-gril ou le barbecue à haute température. Faites cuire à cœur le poulet, 5 min de chaque côté. Découpez-le et servez-le chaud avec les tomates rôties.

POUR 4 PERSONNES • PRÉPARATION 20 MIN + 1 H POUR LA MARINADE • CUISSON 10 À 15 MIN • NIVEAU 1

Salade de poulet aux fruits

Salade de poulet à la roquette et aux haricots blancs

Poulet au poivron

Croquettes de poulet à la tapenade

Poulet pané aux frites

Poulet rôti au citron et aux pommes de terre

Poulet au miel épicé

Poulet aux agrumes, à la roquette et à la feta

Escalopes de veau au parmesan et aux tomates

Tajine de poulet aux pruneaux

Poulet Marengo

12

Mijoté de veau au lait et au persil

13

Poulet cocotte aux abricots

14

Saucisses cocotte à l'ananas et aux pommes de terre

Recettes faciles

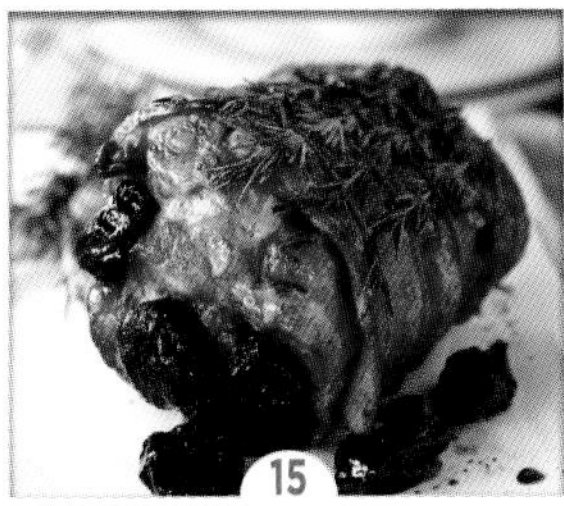

15

Filet de porc aux pruneaux

16

Côtelettes de porc panées à la moutarde

17

Côtes de porc au jambon de Parme et au fromage

18

Filet de porc au lait et au vinaigre

19

Ragoût de montagne

20

Mijoté d'agneau au poivron

1 Salade de poulet aux fruits

- 500 g de poulet cuit coupé en cubes (les restes d'un poulet rôti ou 2 blancs de poulet au bouillon ou grillés)
- 4 branches de céleri coupées en rondelles
- 150 g de raisin rouge ou vert sans pépins
- 2 pêches épluchées et coupées en cubes
- 120 g de mayonnaise
- 120 ml de crème fraîche
- Persil plat, pour garnir
- Sel, poivre noir du moulin

Mélangez le poulet, le céleri, le raisin et les pêches dans un saladier. Mélangez la mayonnaise et la crème fraîche dans un bol, puis versez la sauce sur la salade. Salez et poivrez.

Laissez 30 min au réfrigérateur. Garnissez de persil et servez.

POUR 4 PERSONNES • PRÉPARATION 10 MIN + 30 MIN AU FRAIS • NIVEAU 1

2 Salade de poulet
à la roquette et aux haricots blancs

- 90 ml de jus de citron
- 3 gousses d'ail hachées
- 2 cuil. à soupe de coriandre + pour garnir
- 1 cuil. à soupe de cassonade
- 2 escalopes de poulet coupées
- 400 g de haricots cannellini ou de haricots blancs en boîte égouttés
- 100 g de pousses de roquette
- 125 ml d'huile d'olive
- Sel, poivre noir du moulin

Préchauffez une poêle-gril ou le barbecue à haute température. Dans un bol, fouettez le jus de citron, l'ail, la coriandre ciselée, la cassonade et l'huile. Salez et poivrez.

Faites griller le poulet de 5 à 7 min de chaque côté, jusqu'à ce qu'il soit cuit à cœur. En cours de cuisson, retournez le poulet et badigeonnez-le avec la moitié du mélange de citron et d'huile.

Dans un petit saladier, mélangez les haricots, la roquette et le reste de citron et d'huile. Ajoutez le poulet et mélangez délicatement. Servez chaud.

POUR 4 PERSONNES • PRÉPARATION 15 MIN • CUISSON 10 À 12 MIN • NIVEAU 1

3 Poulet au poivron

- 2 gousses d'ail hachées
- 1 poulet de 1,5 kg coupé en 8 morceaux
- 125 ml de vin blanc sec
- 400 g de tomates fermes et mûres mondées et émincées
- 3 poivrons verts coupés en carrés
- Feuilles de coriandre, pour garnir
- Purée de pommes de terre à l'ail (voir page 136), pour accompagner
- 4 cuil. à soupe d'huile d'olive
- Sel, poivre noir du moulin

Dans une grande poêle, faites chauffer l'huile à feu modéré. Faites-y légèrement dorer l'ail pendant 3 à 4 min. Ajoutez la viande et faites-la uniformément dorer à feu modéré, pendant 5 min. Salez et poivrez.

Arrosez de vin et laissez mijoter jusqu'à évaporation. Ajoutez les tomates et le poivron, puis laissez mijoter 35 min, jusqu'à ce que le poulet et le poivron soient tendres et que les tomates aient réduit.

Parsemez de coriandre et servez chaud avec de la purée de pommes de terre à l'ail.

POUR 4 PERSONNES • PRÉPARATION 15 MIN • CUISSON 50 MIN • NIVEAU 1

Vous pouvez également opter pour du poivron jaune ou du poivron rouge, ou même mélanger les couleurs. Si vous aimez les plats épicés, ajoutez un peu de piment finement émincé.

4 Croquettes de poulet
à la tapenade

- 125 g de beurre ramolli
- 90 g de tapenade
- 1 gousse d'ail hachée
- 1 kg de poulet haché
- 1 échalote ciselée
- 3 cuil. à soupe de thym ciselé
- 100 g de roquette, pour garnir
- Olives noires entières, pour garnir
- 4 cuil. à soupe d'huile d'olive
- Sel, poivre noir du moulin

Dans un bol, mélangez le beurre, la tapenade et l'ail. Placez le mélange sur une feuille de papier d'aluminium et formez un boudin. Enroulez le tout et placez-le au congélateur, le temps de préparer la suite.

Dans un saladier, mettez le poulet, l'échalote et le thym. Salez et poivrez. Fractionnez le mélange en 4 à 6 portions et formez des croquettes.

Mettez une grande poêle sur feu modéré à vif, versez l'huile et faites-y cuire la viande de 3 à 4 min de chaque côté. Déposez la viande sur un lit de roquette et garnissez d'olives. Tranchez le beurre froid et déposez-en une rondelle sur la viande. Servez chaud.

POUR 4 À 6 PERSONNES • PRÉPARATION 15 MIN • CUISSON 6 À 8 MIN • NIVEAU 1

5 Poulet pané aux frites

- 120 g de chapelure fine
- 2 cuil. à soupe de persil ciselé
- 2 cuil. à soupe de ciboulette ciselée
- 4 escalopes de poulet
- 30 g de farine
- 2 gros œufs légèrement battus
- Quartiers de citron, pour la présentation
- Frites, pour accompagner
- 4 cuil. à soupe d'huile d'olive
- Sel, poivre noir du moulin

Dans un bol, mélangez la chapelure fine, le persil, la ciboulette. Salez et poivrez.

Aplatissez les escalopes à l'aide d'un pilon ou du fond d'une casserole. Retournez les escalopes dans la farine, puis dans les œufs et enfin dans la chapelure.

Mettez une grande poêle sur feu modéré et versez-y l'huile. Faites cuire les escalopes en plusieurs fois, de 3 à 5 min de chaque côté, jusqu'à ce qu'elles soient dorées et croustillantes. Servez chaud avec les quartiers de citron et des frites.

POUR 4 PERSONNES • PRÉPARATION 10 MIN • CUISSON 6 À 10 MIN • NIVEAU 1

6 Poulet rôti au citron
et aux pommes de terre

- 1 cuil. à soupe de sauge ciselée
- 1 cuil. à soupe de romarin ciselé
- 2 gousses d'ail hachées
- 1 cuil. à café de sel
- 1 cuil. à café de poivre noir du moulin
- 1 poulet de 2 kg
- 1 citron bio entier
- 750 g de pommes de terre à chair ferme
- 4 cuil. à soupe d'huile d'olive

Préchauffez le four à 200 °C (th. 6-7). Dans un bol, mélangez la sauge, le romarin, l'ail, le sel et le poivre. Mélangez bien, puis assaisonnez-en le poulet, à l'intérieur et à l'extérieur.

Piquez bien le citron à l'aide d'une fourchette et insérez-le dans la cavité abdominale du poulet. Placez le poulet sur un plat allant au four et arrosez-le d'huile. Enfournez pour 15 min, puis ajoutez les pommes de terre. Remettez à cuire pendant 45 min.

Retournez le poulet et les pommes de terre toutes les 15 min en arrosant le tout d'huile et de jus de cuisson. Une fois cuit, le poulet doit être très tendre et la chair doit se détacher facilement. La peau doit être croustillante.

Transférez sur un plat de service préalablement préchauffé et servez chaud.

POUR 4 À 6 PERSONNES • PRÉPARATION 15 MIN • CUISSON 1 H • NIVEAU 1

Voici une méthode italienne de poulet rôti au four. Le citron placé à l'intérieur du poulet absorbe la graisse et parfume la chair.

7 Poulet au miel et épicé

- 170 g de miel
- 60 ml de pâte de piment (en épicerie fine ou exotique)
- 4 escalopes de poulet
- 150 g de pousses d'épinard
- 16 tomates cerise coupées en deux
- Sel, poivre noir du moulin

Dans un bol, mélangez le miel, la pâte de piment, du sel et du poivre. Badigeonnez-en le poulet. Mettez le tout dans un saladier, couvrez et laissez reposer pendant 1 h au réfrigérateur. Mélangez les épinards et les tomates dans un petit saladier.

Préchauffez une poêle-gril ou le barbecue à haute température. Faites griller les escalopes 5 min de chaque côté, jusqu'à ce qu'elles soient cuites à cœur. Servez chaud avec les épinards et les tomates.

POUR 4 PERSONNES • PRÉPARATION 10 MIN + 1 H POUR LA MARINADE • CUISSON 10 MIN • NIVEAU 1

8 Poulet aux agrumes,
à la roquette et à la feta

- 6 escalopes de poulet coupées en deux
- 2 oignons rouges émincés
- Le jus de 1 orange
- Le jus de 1 citron
- 90 g d'olives noires
- 90 g de feta émiettée
- 1 botte de roquette nettoyée
- 3 cuil. à soupe d'huile d'olive

Placez une grande poêle sur feu modéré à vif et faites-y chauffer l'huile. Faites dorer les escalopes 10 min, en les retournant une fois.

Ajoutez les oignons et faites-les suer 3 min. Arrosez de jus d'orange et de citron. Couvrez et portez à ébullition. Parsemez d'olives et de feta. Couvrez et poursuivez la cuisson 1 min.

Disposez les escalopes sur les assiettes et arrosez-les de jus de cuisson. Servez chaud avec de la roquette.

POUR 4 PERSONNES • PRÉPARATION 10 MIN • CUISSON 15 MIN • NIVEAU 1

9 Escalopes de veau
au parmesan et aux tomates

- 600 g de petites escalopes de veau fines
- 75 g de farine
- 30 g de beurre
- 125 ml de vin blanc sec
- 2 échalotes grossièrement ciselées
- 3 ou 4 tomates mondées et coupées en dés
- 125 g de copeaux de parmesan
- 2 cuil. à soupe de persil ciselé
- 2 cuil. à soupe de basilic ciselé
- 4 cuil. à soupe d'huile d'olive
- Sel, poivre noir du moulin

Aplatissez légèrement les escalopes à l'aide d'un pilon ou du fond d'une casserole afin de les rendre plus fines et d'épaisseur uniforme. Retournez-les dans la farine, puis tapotez-les pour les débarrasser de l'excédent.

Dans une grande sauteuse, faites chauffer l'huile et le beurre à feu modéré. Faites-y dorer les escalopes 5 min de chaque côté, en fonction de leur épaisseur. Salez et poivrez. Arrosez de vin et laissez mijoter jusqu'à évaporation. Retirez les escalopes et réservez-les dans un four chaud.

Dans la sauteuse, faites légèrement dorer les échalotes. Ajoutez les tomates, puis salez et poivrez. Laissez mijoter 10 min, jusqu'à ce que les tomates réduisent.

Remettez les escalopes dans la poêle et parsemez de parmesan, de persil et de basilic. Éteignez le feu, couvrez et laissez reposer quelques minutes. Servez chaud.

POUR 4 PERSONNES • PRÉPARATION 15 MIN • CUISSON 25 À 30 MIN • NIVEAU 1

Servez les escalopes avec de la salade verte pour un repas simple et complet.

10 Tajine de poulet
aux pruneaux

- 1 poulet de 2 kg coupé en 6 à 8 morceaux
- 3 beaux oignons coupés en rondelles
- 90 g de beurre
- 1 bâton de cannelle
- ¼ de cuil. à café de safran
- 250 g de pruneaux dénoyautés
- 2 cuil. à soupe de miel
- 2 cuil. à soupe de jus de citron
- 1 cuil. à soupe de graines de sésame
- 120 g d'amandes
- De la semoule de couscous, pour accompagner
- Sel, poivre noir du moulin

Mettez le poulet, les oignons, le beurre, la cannelle, le safran, du sel, du poivre et 37,5 cl d'eau dans une casserole. Couvrez et laissez mijoter de 40 à 45 min à feu doux, en remuant de temps en temps. Retirez le poulet et réservez-le au chaud.

Ajoutez les pruneaux dans la sauce et laissez mijoter de 10 à 15 min, jusqu'à ce qu'ils aient ramolli. Versez le miel et le jus de citron et laissez mijoter 10 min à feu doux, jusqu'à réduction.

Remettez le poulet dans la casserole et laissez mijoter 10 min. Parsemez de graines de sésame et d'amandes. Servez chaud, avec la semoule.

POUR 4 À 6 PERSONNES • PRÉPARATION 15 MIN • CUISSON 1 H 10 À 1 H 20 • NIVEAU 1

11 Poulet Marengo

- 1 poulet de 2 kg coupé en 6 à 8 morceaux
- 60 g de beurre
- 1 pincée de noix muscade + un peu pour saupoudrer
- 125 ml de vin blanc sec
- 1 cuil. à soupe de farine
- 250 ml de bouillon de bœuf
- Le jus de ½ citron
- Sel, poivre noir du moulin

Faites fondre le beurre dans une sauteuse de feu modéré à vif. Faites-y légèrement dorer le poulet pendant 5 min. Salez, poivrez et saupoudrez de noix muscade.

Jetez le jus de cuisson. Mouillez avec le vin et incorporez la farine. Laissez mijoter 50 min à feu modéré, jusqu'à ce que le poulet soit tendre. Arrosez le poulet de bouillon au fil de la cuisson, selon les besoins.

Disposez le poulet sur un plat de service et arrosez de jus de citron. Servez chaud, saupoudré de noix muscade.

POUR 4 À 6 PERSONNES • PRÉPARATION 15 MIN • CUISSON 1 H • NIVEAU 1

12 Mijoté de veau au lait
et au persil

- 1 kg de côtes de veau maigres coupées en petits morceaux
- 2 gousses d'ail hachées
- 2 cuil. à soupe de persil ciselé + un peu pour garnir
- 250 ml de lait
- 250 ml de bouillon de bœuf
- 4 cuil. à soupe d'huile d'olive
- Sel, poivre noir du moulin

Dégraissez la viande à l'aide d'un couteau aiguisé. Faites chauffer l'huile dans une sauteuse à feu modéré et faites revenir l'ail et le persil pendant 2 à 3 min.

Ajoutez la viande et faites-la légèrement dorer. Salez et poivrez. Arrosez de lait et de bouillon. La viande doit être presque recouverte, mais pas entièrement. Réduisez le feu et couvrez partiellement, de manière à ce que le jus puisse réduire un peu. Faites cuire doucement, en remuant régulièrement, jusqu'à ce que la viande soit tendre et savoureuse et qu'une sauce épaisse se soit formée.

Transférez dans un plat de service préalablement réchauffé. Parsemez d'un peu de persil et servez chaud.

POUR 6 PERSONNES • PRÉPARATION 15 MIN
• CUISSON 1 H À 1 H 30 • NIVEAU 1

Ce mijoté est délicieux avec du riz, des pommes vapeur ou des pommes de terre à l'eau, ou tout simplement avec du bon pain frais pour saucer.

13 Poulet cocotte aux abricots

- 1 kg de morceaux de poulet
- 400 g d'oreillons d'abricots au sirop égouttés + le sirop
- 500 g de petites pommes de terre bien nettoyées
- 250 g de petits pois surgelés
- 1 poignée de feuilles de coriandre ciselées
- 125 g de soupe à l'oignon en sachet
- 250 ml de vin blanc sec
- Riz, pour accompagner
- Poivre noir du moulin

Préchauffez le four à 190 °C (th. 6-7). Mettez le poulet dans une cocotte allant au four. Recouvrez avec les abricots, les pommes de terre, les petits pois et la coriandre. Saupoudrez de soupe à l'oignon et poivrez légèrement.

Versez du vin blanc dans le sirop d'abricot de manière à obtenir 375 ml de liquide. Arrosez-en le poulet et laissez reposer 15 min.

Remuez délicatement, puis couvrez hermétiquement. Enfournez pour 1 h, jusqu'à ce que le poulet soit bien tendre. Vérifiez de temps en temps, en ajoutant un peu de vin si la sauce est trop dense. Servez chaud avec du riz.

POUR 4 À 6 PERSONNES • PRÉPARATION 15 MIN + 15 MIN DE REPOS • CUISSON 1 H • NIVEAU 1

14 Saucisses cocotte à l'ananas
et aux pommes de terre

- 6 à 8 saucisses coupées en petits morceaux
- 750 g de pommes de terre épluchées et coupées en dés
- 450 g d'ananas en morceaux au sirop égouttés + le sirop
- 1 bel oignon grossièrement ciselé
- 2 belles carottes coupées en rondelles
- 2 belles tomates coupées en rondelles
- 2 cuil. à soupe de cassonade
- 2 cuil. à soupe de fécule de maïs
- 30 g de beurre
- Sel, poivre noir du moulin

Préchauffez le four à 180 °C (th. 6). Dans une cocotte, déposez les saucisses, puis les pommes de terre, les morceaux d'ananas, l'oignon, les carottes et enfin les tomates.

Versez de l'eau dans le sirop d'ananas de manière à obtenir 375 ml de liquide. Versez 60 ml du liquide ainsi obtenu dans un bol. Ajoutez la cassonade et la fécule de maïs, puis remuez jusqu'à l'obtention d'un mélange homogène. Salez et poivrez. Versez le liquide restant et mélangez bien. Versez ce mélange sur le plat. Ajoutez le beurre.

Couvrez et laissez cuire 1 h, jusqu'à ce que tous les ingrédients soient fondants. Servez chaud.

POUR 4 PERSONNES • PRÉPARATION 15 MIN • CUISSON 1 H • NIVEAU 1

15 Filet de porc aux pruneaux

- 20 à 25 pruneaux dénoyautés
- 125 ml de cognac
- 1 kg de filet de porc
- 8 grandes tiges de romarin
- 30 g de beurre
- 4 cuil. à soupe d'huile d'olive
- 200 ml de vin blanc sec
- 250 ml de bouillon de bœuf
- Sel, poivre noir du moulin

Coupez 10 pruneaux en deux ou en quatre. Mettez-les dans un bol avec le cognac et recouvrez d'eau. Laissez mariner 30 min. Égouttez bien.

Préchauffez le four à 180 °C (th. 6). À l'aide d'un couteau bien aiguisé, pratiquez des entailles dans le filet. Fourrez avec du sel, du poivre et les pruneaux en morceaux.

Placez le romarin sur le filet et maintenez-le à l'aide de ficelle de cuisine. Salez et poivrez.

Faites chauffer le beurre et l'huile dans une cocotte allant au four posée sur feu modéré. Dès que le beurre se met à mousser, déposez-y le filet. Faites-le bien dorer pendant 5 à 8 min. Enfournez pour 1 à 2 h, jusqu'à ce que le filet soit tendre et cuit à cœur. En milieu de cuisson, arrosez de vin et ajoutez les pruneaux restants. Poursuivez la cuisson en mouillant avec le bouillon si la sauce est trop épaisse.

Servez chaud ou à température ambiance avec la sauce (réchauffée au besoin) et les pruneaux.

POUR 4 PERSONNES • PRÉPARATION 15 MIN + 30 MIN POUR LA MARINADE • CUISSON 1 À 2 H • NIVEAU 1

Se mariant à merveille avec de nombreux fruits, la viande de porc est particulièrement délicieuse avec des pruneaux.

16 Côtelettes de porc panées
à la moutarde

- 30 g de farine
- 2 cuil. à café de graines de moutarde en poudre (en épicerie fine)
- 4 côtelettes de porc coupées en deux dans le sens de la longueur
- 1 gros œuf légèrement battu
- 150 g de chapelure fine
- 4 cuil. à soupe d'huile d'olive
- Salade verte, pour accompagner

Dans un bol, mélangez la farine et la poudre de moutarde. Tournez la viande dans ce mélange, puis tapotez pour ôter l'excédent. Ensuite tournez-la dans l'œuf battu, puis dans la chapelure.

Dans une grande cocotte, faites chauffer l'huile jusqu'à ce qu'elle soit très chaude. Faites cuire la viande 3 min de chaque côté, jusqu'à ce qu'elle soit dorée. Procédez en plusieurs fois. Servez avec de la salade verte.

POUR 4 PERSONNES • PRÉPARATION 10 MIN • CUISSON 10 À 15 MIN • NIVEAU 1

17 Côtes de porc au jambon de Parme et au fromage

- 4 côtes premières de porc
- 150 g de farine
- 1 gros œuf légèrement battu
- 150 g de chapelure fine
- 45 g de beurre
- 4 tranches de jambon de Parme
- 60 g de copeaux de parmesan
- 60 ml de crème liquide
- 1 cuil. à soupe d'huile d'olive
- Sel, poivre noir du moulin

Tournez la viande dans la farine salée et poivrée, puis tapotez pour ôter l'excédent de farine. Ensuite tournez-la dans l'œuf battu, puis dans la chapelure.

Faites chauffer le beurre et l'huile dans une grande poêle à feu modéré. Faites-y cuire les côtes 5 min de chaque côté, jusqu'à ce qu'elles soient cuites à cœur et qu'une épaisse croûte dorée se soit formée. Laissez-les égoutter sur du papier absorbant.

Préchauffez le four sur la position gril. Placez les côtes sur une feuille de papier sulfurisé. Recouvrez chaque côte d'une tranche de jambon de Parme, de parmesan et de 1 cuil. à soupe de crème. Enfournez pour 2 min, jusqu'à ce que le fromage ait fondu. Servez chaud.

POUR 4 PERSONNES • PRÉPARATION 10 MIN • CUISSON 15 MIN • NIVEAU 1

18 Filet de porc au lait
et au vinaigre

- 1,2 kg de filet de porc désossé
- 30 g de beurre
- 1 tige de romarin
- 1 oignon finement ciselé
- 200 ml de vinaigre de vin blanc
- 450 ml de lait
- 1 tablette de bouillon de bœuf émiettée
- Pommes de terre à l'eau, pour accompagner
- 4 cuil. à soupe d'huile d'olive
- Sel, poivre noir du moulin

Salez et poivrez le filet. Roulez-le et maintenez-le à l'aide de ficelle de cuisine.

Dans une cocotte, faites chauffer le beurre et l'huile avec le romarin. Quand le beurre se met à mousser, ajoutez l'oignon et faites-le suer de 3 à 4 min. Faites-y légèrement dorer le filet sur toutes les faces, pendant 10 min.

Arrosez de vinaigre et laissez mijoter jusqu'à évaporation. Ajoutez le lait et la tablette de bouillon. Couvrez partiellement et laissez mijoter 1 h, en retournant la viande de temps en temps. Une fois cuite, la sauce doit être épaisse.

Découpez le filet et servez-le sur des assiettes préalablement chauffées. Arrosez-les de sauce. Servez chaud avec des pommes de terre arrosées de sauce.

POUR 4 PERSONNES • PRÉPARATION 10 MIN • CUISSON 1 H À 1 H 10 • NIVEAU 1

Ce morceau de premier choix provient de la longe (le dos) de l'animal. Il peut être cuisiné avec l'os ou bien désossé. Dans ce cas, il est souvent roulé et maintenu avec de la ficelle de cuisine, ce qui lui assure une bonne tenue.

19 Ragoût montagnard

- 750 g de bœuf à ragoût coupé en petits morceaux
- 2 cuil. à soupe de farine
- 1 bel oignon grossièrement ciselé
- 4 pommes de terre épluchées et coupées en cubes
- 2 belles carottes coupées en tronçons
- ¼ de rutabaga épluché et grossièrement ciselé
- 375 ml de bouillon de bœuf
- 4 cuil. à soupe d'huile d'olive
- Sel, poivre noir du moulin

Saupoudrez la viande de farine. Salez et poivrez. Faites chauffer l'huile dans une cocotte à feu modéré. Faites-y dorer le bœuf de 8 à 10 min. Procédez en plusieurs fois.

Ajoutez l'oignon, les pommes de terre, les carottes et le rutabaga. Faites légèrement dorer le tout de 8 à 10 min à feu modéré. Arrosez de bouillon. Salez et poivrez. Laissez mijoter pendant 1 à 2 h à feu modéré, jusqu'à ce que la viande soit bien tendre.

POUR 4 PERSONNES • PRÉPARATION 20 MIN • CUISSON 1 À 2 H • NIVEAU 1

20 Mijoté d'agneau au poivron

- 1 kg d'épaule d'agneau désossée et coupée en petits cubes
- 150 g de lardons
- 2 gousses d'ail finement ciselées
- 1 bel oignon ciselé
- 3 poivrons rouges et jaunes émincés
- 125 ml de vin blanc
- 400 g de tomates en boîte + le jus
- 2 cuil. à soupe de persil ciselé
- 4 cuil. à soupe d'huile d'olive
- Sel, poivre noir du moulin

Dans une cocotte, faites chauffer 2 cuil. à soupe d'huile à feu modéré. Faites-y dorer l'agneau pendant 8 à 10 min. Salez et poivrez, puis réservez.

Dans la même cocotte, faites chauffer les 2 cuil. à soupe d'huile restantes à feu modéré. Faites-y fondre les lardons, l'ail et l'oignon pendant 3 à 4 min. Ajoutez les poivrons et laissez mijoter 5 min. Arrosez de vin.
Une fois le vin évaporé, ajoutez les tomates. Couvrez partiellement et laissez mijoter 15 min. Ajoutez la viande et le persil. Assaisonnez. Laissez mijoter 40 min, jusqu'à ce que la viande soit tendre. Servez chaud.

POUR 4 PERSONNES • PRÉPARATION 20 MIN • CUISSON 1 H • NIVEAU 1

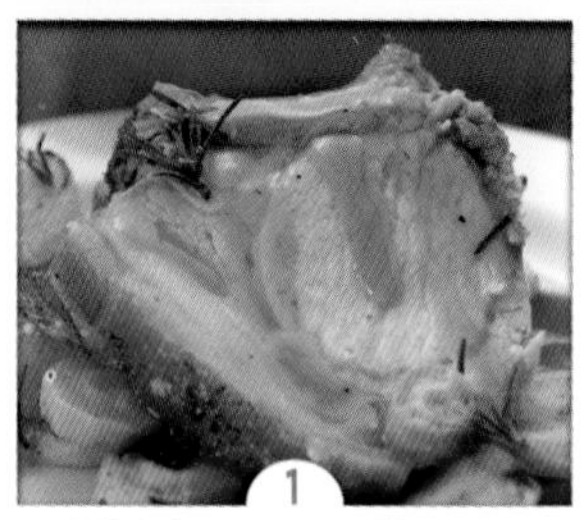

Rôti de porc aux légumes

Rôti d'agneau aux légumes

Poulet chasseur

Poulet à la provençale

Coq au vin

Mijoté de poulet et de crevettes à la louisianaise

Carpaccio de bœuf

Brochettes d'agneau à la grecque

Tajine d'agneau aux pruneaux

Côtes de veau à la milanaise

Veau saltimbocca

12
Vitello tonnato

13
Blanquette de veau

14
Bœuf bourguignon

Les classiques

15
Osso buco à la milanaise

16
Pot-au-feu

17
Mijoté de viandes à l'italienne

18
Chili con carne

19
Bœuf rendang

20
Curry d'agneau

1 Rôti de porc aux légumes

- 2,5 kg de rôti de porc dans l'échine avec os
- 4 gousses d'ail finement émincées
- 1 cuil. à café de sel
- ½ cuil. à café de poivre noir
- 2 cuil. à soupe de feuilles de romarin fraîches ou sèches
- 4 patates douces épluchées et coupées en morceaux
- 1 petit rutabaga épluché et émincé
- 4 panais épluchés et coupés en rondelles
- 4 carottes coupées en rondelles
- 1 cuil. à soupe de fécule de maïs
- 3 cuil. à soupe d'eau froide
- Sel, poivre noir du moulin

Préchauffez le four à 180 °C (th. 6). Pratiquez des entailles dans le rôti et insérez-y des rondelles d'ail. Mélangez le sel, le poivre et le romarin dans une assiette, puis frottez-en le rôti. Mettez le rôti, couenne au-dessus, dans une cocotte allant au four. Ajoutez les légumes et arrosez d'huile. Salez et poivrez.

Enfournez pour 1 h 30, jusqu'à ce que la viande soit tendre et que les légumes soient cuits tout en restant légèrement croquants. Dégraissez le plat. Mélangez la fécule de maïs avec 3 cuil. à soupe d'eau froide dans un bol. Mettez la cocotte sur feu modéré. Versez le mélange de fécule, puis 375 ml d'eau bouillante. Mélangez en veillant à bien décoller les sucs de cuisson, puis laissez doucement réchauffer. Servez chaud.

POUR 6 À 8 PERSONNES • PRÉPARATION 20 MIN • CUISSON 1 H 30 • NIVEAU 1

2 Rôti d'agneau aux légumes

- 4 beaux oignons grossièrement émincés
- 1,5 kg d'épaule ou de gigot d'agneau coupé en 6 à 8 morceaux
- 12 tomates cerise
- 600 g de pommes de terre épluchées et coupées en tranches de 5 mm d'épaisseur
- Tiges de romarin frais
- 4 cuil. à soupe d'huile d'olive
- Sel, poivre noir du moulin

Préchauffez le four à 180 °C (th. 6). Mettez une grande poêle avec 1 cuil. à soupe d'huile sur feu modéré. Faites-y fondre les oignons de 3 à 4 min. Faites y dorer la viande sur toutes les faces, pendant 5 à 10 min.

Transférez le tout dans un plat allant au four. Ajoutez les tomates et les pommes de terre. Salez et poivrez, puis ajoutez le romarin. Arrosez avec les 3 cuil. à soupe d'huile restantes. Enfournez pour 50 min, jusqu'à ce que la viande et les pommes de terre soient cuites. Servez chaud.

POUR 4 PERSONNES • PRÉPARATION 15 MIN • CUISSON 55 À 60 MIN • NIVEAU 1

3 Poulet chasseur

- 1 poulet de 2 à 2,5 kg coupé en 6 à 8 morceaux
- Le jus de 1 citron
- 1 oignon grossièrement ciselé
- 1 carotte coupée en morceaux
- 1 branche de céleri coupée en morceaux
- 120 ml de vin blanc sec
- 1 kg de tomates mondées et concassées
- 150 g d'olives noires
- Persil grossièrement ciselé, pour garnir
- 6 cuil. à soupe d'huile d'olive
- Sel, poivre noir du moulin

Mettez le poulet dans un saladier et arrosez-le de 3 cuil. à soupe d'huile et de jus de citron, puis salez et poivrez généreusement. Laissez mariner au réfrigérateur pendant au moins 4 h (ou toute la nuit).

Dans une sauteuse, faites chauffer les 3 cuil. à soupe d'huile restantes à feu modéré. Faites-y fondre l'oignon, la carotte et le céleri pendant 5 min. Ajoutez les morceaux de poulet et faites-les dorer.

Versez le vin et laissez mijoter jusqu'à évaporation, en remuant régulièrement. Ajoutez les tomates et 120 ml d'eau. Couvrez, baissez le feu et poursuivez la cuisson en remuant régulièrement. Après 15 min, ajoutez les olives. Laissez mijoter doucement à feu modéré pendant 20 min, jusqu'à ce que le poulet soit tendre. Garnissez de persil ciselé. Servez chaud.

POUR 4 À 6 PERSONNES • PRÉPARATION 20 MIN + 4 H POUR LA MARINADE • CUISSON 1 H • NIVEAU 1

Cette spécialité culinaire est très prisée en Italie. Il existe autant de variantes que de cuisiniers, n'hésitez donc pas à y mettre votre grain de sel ! Servez chaud avec des pommes vapeur, des pommes de terre à l'eau, du riz ou de la polenta.

4 Poulet à la provençale

- 1 poulet de 2 kg coupé en 6 à 8 morceaux
- 1 oignon ciselé
- 3 gousses d'ail hachées
- 6 tomates mûres et fermes mondées et coupées en morceaux
- 500 ml de vin blanc
- 1 cuil. à soupe de feuilles de romarin ciselées
- 1 cuil. à soupe de feuilles de thym + un peu pour garnir
- 100 g d'olives noires
- 4 cuil. à soupe d'huile d'olive
- Sel, poivre noir du moulin

Faites chauffer l'huile dans une grande casserole posée sur feu vif. Faites-y dorer la viande de 8 à 10 min. Salez, poivrez et réservez la viande.

Dans la même casserole, faites mijoter l'oignon, l'ail et les tomates pendant 10 min, jusqu'à ce que les tomates commencent à fondre. Salez. Baissez le feu et mouillez avec le vin. Ajoutez le romarin, le thym et les olives. Laissez mijoter 10 min. Remettez le poulet dans la casserole, salez et poivrez. Couvrez et laissez mijoter de 30 à 40 min à feu doux, jusqu'à ce que le poulet soit bien tendre. Parsemez de thym et servez chaud.

POUR 6 PERSONNES • PRÉPARATION 20 MIN • CUISSON 50 MIN À 1 H • NIVEAU 1

5 Coq au vin

- 1 coq de 2 kg coupé en 8 morceaux
- 2 cuil. à soupe de farine
- 250 g de lardons fumés
- 250 g de champignons de Paris
- 2 oignons finement ciselés
- 2 échalotes finement ciselées
- 3 gousses d'ail hachées
- 1 cuil. à soupe de concentré de tomate
- 1 bouquet garni + des herbes fraîches pour garnir
- 700 ml de vin rouge
- 375 ml de bouillon de bœuf
- 3 cuil. à soupe d'huile d'arachide
- Sel, poivre noir du moulin

Dans une grande sauteuse, faites chauffer l'huile à feu modéré. Faites-y dorer le coq de 8 à 10 min. Saupoudrez de farine en veillant à ce qu'elle absorbe bien l'huile. Retirez de la sauteuse et réservez.

Mettez les lardons, les champignons, les oignons et les échalotes dans la sauteuse. Faites-les légèrement dorer 10 min à feu modéré. Ajoutez l'ail, le concentré de tomate et le bouquet garni. Salez et poivrez. Arrosez de vin et de bouillon. Remettez le coq dans la sauteuse. Couvrez et laissez mijoter de 30 à 45 min à feu très doux, jusqu'à ce que le tout soit bien fondant. Garnissez avec les herbes et servez chaud.

POUR 4 À 6 PERSONNES • PRÉPARATION 20 MIN • CUISSON 55 MIN À 1 H 10 • NIVEAU 1

6 Mijoté de poulet
et de crevettes à la louisianaise

- 1 oignon ciselé
- 3 poivrons émincés
- 5 gousses d'ail hachées
- 4 chorizos coupés en rondelles épaisses
- 1 kg de poulet en morceaux
- 1 piment fort rouge émincé
- 1 piment fort jaune émincé
- 500 g de riz américain
- 1 cuil. à café de piment en poudre
- quelques filaments de safran
- 2 cuil. à soupe d'épices cajun
- 1 litre de bouillon de poule
- 500 g de légumes détaillés en julienne (carottes, petits pois, haricots verts, choux de Bruxelles, courgettes)
- 500 g de grosses crevettes ou de langouste
- 4 cuil. à soupe d'huile d'olive
- Sel, poivre noir du moulin

Dans une grande casserole, faites chauffer l'huile à feu modéré. Faites-y revenir l'oignon, les poivrons, l'ail, le chorizo et les morceaux de poulet pendant 10 min.

Ajoutez les piments et le riz. Mélangez bien. Saupoudrez de piment en poudre, de safran et d'épices cajun. Mélangez bien pour que le riz s'imprègne de tous les parfums. Versez le bouillon de poule et portez à ébullition.

Ajoutez les légumes, attendez que l'ébullition reprenne et baissez le feu. Laissez mijotez pendant 10 min, puis ajoutez les crevettes ou la langouste. Laissez mijoter de 45 à 60 min de plus, jusqu'à ce que le poulet soit bien tendre. Servez chaud.

POUR 6 À 8 PERSONNES • PRÉPARATION 20 MIN • CUISSON 1 H 05 À 1 H 20 • NIVEAU 2

Spécialité de Louisiane, ce plat est le fruit d'influences espagnoles et françaises, qui ont marqué l'origine européenne de cet État américain. La variante que nous proposons est dépourvue de tomates.

7 Carpaccio de bœuf

- 500 g de filet de bœuf bien frais
- 100 g de roquette
- 1 cuil. à soupe de vinaigre balsamique
- 60 g de parmesan ou de pecorino en lamelles
- 3 cuil. à soupe d'huile d'olive
- Sel, poivre noir du moulin

Emballez fermement le filet de bœuf dans du film alimentaire et laissez-le 2 h au congélateur. À l'aide d'un couteau bien aiguisé, coupez des tranches de 3 mm d'épaisseur.

Dans un saladier, mettez la roquette, l'huile et le vinaigre balsamique. Mélangez bien. Dans un plat de service, disposez les tranches de bœuf en rond, en veillant à ce qu'elles se chevauchent légèrement. Recouvrez de roquette et de fromage. Salez et poivrez. Servez froid.

POUR 6 PERSONNES • PRÉPARATION 10 MIN + 2 H AU CONGÉLATEUR • NIVEAU 1

8 Brochettes d'agneau
à la grecque

- 2 cuil. à soupe de jus de citron
- 2 cuil. à soupe de vinaigre de vin rouge
- 2 cuil. à soupe d'origan séché
- 1 gousse d'ail émincée
- 1 cuil. à café de cumin moulu
- 750 g de gigot d'agneau désossé et coupé en cubes
- Mesclun et pain pita, pour accompagner
- 6 cuil. à soupe d'huile d'olive
- Sel, poivre noir du moulin

Tzatziki

- 250 g de yaourt nature
- 1 gousse d'ail émincée
- 1 cuil. à soupe de jus de citron
- 1 concombre épluché, épépiné et finement émincé
- 1 cuil. à soupe de menthe émincée
- Sel

Préparez le tzatziki. Dans un bol, mélangez le yaourt, l'ail et le jus de citron. Ajoutez le concombre et la menthe, puis salez. Recouvrez de film alimentaire et mettez au réfrigérateur.

Dans un saladier, mélangez l'huile, le jus de citron, le vinaigre, l'origan, l'ail et le cumin. Salez et poivrez. Ajoutez l'agneau et imprégnez-le en mélangeant bien. Couvrez avec du film alimentaire et laissez toute la nuit au réfrigérateur.

Préchauffez une poêle-gril ou le barbecue à haute température. Égouttez la viande en réservant la marinade. Piquez la viande sur des brochettes. Faites cuire de 4 à 5 min de chaque côté en mouillant régulièrement avec la marinade. Servez chaud avec du pain pita, du mesclun et du tzatziki.

POUR 6 PERSONNES • PRÉPARATION 15 MIN + 12 H POUR LA MARINADE • CUISSON 8 À 10 MIN • NIVEAU 1

9 Tajine d'agneau
aux pruneaux

- 2 beaux oignons ciselés
- 1 kg de gigot d'agneau maigre coupé en dés
- ½ cuil. à café de coriandre moulue
- ½ cuil. à café de cannelle moulue
- 1 bâton de cannelle
- ½ cuil. à café de cumin moulu
- 1 cuil. à café de gingembre moulu
- 1 pincée de filaments de safran trempés dans 1 cuil. à soupe d'eau
- 16 pruneaux trempés dans de l'eau chaude
- 4 cuil. à soupe de miel blond
- 1 cuil. à soupe d'eau de fleur d'oranger
- 2 cuil. à soupe de feuilles de coriandre, pour garnir
- Semoule, pour accompagner
- 4 cuil. à soupe d'huile d'olive
- Sel, poivre noir du moulin

Dans une grande casserole, faites chauffer 2 cuil. à soupe d'huile à feu modéré. Faites revenir l'oignon et la viande 10 min, jusqu'à ce que la viande soit bien dorée. Recouvrez la viande avec de l'eau. N'hésitez pas à en ajouter au besoin.

Salez et poivrez, ajoutez les 2 cuil. à soupe d'huile restantes, la coriandre et la cannelle moulues, le bâton de cannelle, le cumin, le gingembre, le safran et son eau de trempage, puis portez à ébullition. Réduisez le feu à feu doux, couvrez, ajoutez les pruneaux et laissez mijoter 2 h.

Incorporez le miel, arrosez d'eau de fleur d'oranger et parsemez de coriandre. Servez chaud avec la semoule.

POUR 4 À 6 PERSONNES • PRÉPARATION 45 MIN • CUISSON 2 H • NIVEAU 1

Le tajine est un ragoût de mouton ou de poulet épicé, d'origine nord-africaine. Il tient son nom du plat en terre traditionnel, muni d'un couvercle conique, dans lequel il cuit.

10 Côtes de veau à la milanaise

- 4 belles côtes de veau à l'os
- 2 gros œufs légèrement battus
- 200 g de chapelure fine
- 120 g de beurre
- Quartiers de citron, pour garnir
- 1 cuil. à soupe d'huile d'olive
- Sel, poivre noir du moulin

Aplatissez légèrement les côtes de veau à l'aide d'un pilon ou du fond d'une casserole jusqu'à l'obtention d'une épaisseur uniforme. Retournez-les dans l'œuf battu, puis dans la chapelure. Appuyez avec les doigts de manière à ce que la chapelure adhère aux côtes de veau.

Dans une grande poêle, faites chauffer le beurre et l'huile de feu modéré à vif. Faites-y cuire la viande pendant 2 à 3 min, jusqu'à la formation d'une croûte dorée. Retournez-les et procédez de même. Si toutes les côtes ne tiennent pas dans la poêle, utilisez deux poêles ou procédez en deux fois.

Retirez les côtes de la poêle à l'aide d'une écumoire et déposez-les sur du papier absorbant. Salez et poivrez. Garnissez de quartiers de citron et servez chaud.

POUR 4 PERSONNES • PRÉPARATION 10 MIN • CUISSON 10 MIN • NIVEAU 1

11 Veau saltimbocca

- 500 g d'escalopes de veau
- 60 g de beurre coupé en morceaux
- 8 tranches de jambon de Parme
- 1 cuil. à soupe de sauge émincée + des feuilles entières pour garnir
- 120 ml de vin blanc sec
- Sel

Aplatissez légèrement les escalopes à l'aide d'un pilon ou du fond d'une casserole afin de les rendre plus fines et d'épaisseur uniforme. Dans une grande poêle, faites fondre le beurre à feu vif. Faites-y dorer les escalopes de 2 à 3 min de chaque côté.

Retirez-les de la poêle, surmontez chaque escalope d'une tranche de jambon de Parme et de 2 feuilles de sauge. Refermez-les avec un cure-dent. Remettez les escalopes dans la poêle avec le beurre et ajoutez la sauge émincée. Cuisez 1 min à feu modéré. Salez. Mettez sur feu vif. Arrosez de vin et laissez-le s'évaporer. Retirez les cure-dents et servez chaud, garni de feuilles de sauge entières.

POUR 4 À 6 PERSONNES • PRÉPARATION 10 MIN • CUISSON 15 MIN • NIVEAU 1

12 Vitello tonnato

- 1 rôti de veau maigre, dans le rumsteak de préférence
- 1 carotte épluchée
- 1 branche de céleri parée
- 1 feuille de laurier
- 1 oignon épluché
- 2 clous de girofle
- 150 g de thon en boîte égoutté
- 250 g de mayonnaise
- 2 cuil. à soupe de câpres + quelques-unes pour garnir
- Le jus de 1 citron
- Quartiers de citron, pour garnir
- 4 cuil. à soupe d'huile d'olive
- Sel, poivre noir du moulin

Dégraissez la viande à l'aide d'un couteau aiguisé, puis ficelez le rôti. Mettez la viande, la carotte, le céleri, la feuille de laurier et l'oignon piqué des clous de girofle dans une cocotte. Couvrez d'eau bouillante. Salez et laissez mijoter 2 h à couvert. Laissez le rôti refroidir dans l'eau de cuisson pendant 1 à 2 h.

Dans un robot ménager, mettez le thon, la mayonnaise, les câpres, le jus de citron, l'huile, du sel et du poivre. Mixez jusqu'à l'obtention d'un mélange homogène.

Retirez le rôti de l'eau de cuisson et égouttez-le. Découpez-le, présentez les tranches dans un plat de service et arrosez de sauce au thon. Garnissez de câpres et de quartiers de citron. Réservez au moins 6 h. Servez frais en entrée ou bien en plat principal, avec des légumes cuits à l'eau.

POUR 8 À 10 PERSONNES • PRÉPARATION 25 MIN + 6 H POUR LA MARINADE • CUISSON 2 H • NIVEAU 2

Ce mets succulent exige une préparation minutieuse, mais le jeu en vaut la chandelle. Laissez refroidir le rôti dans son eau de cuisson pour lui éviter de devenir ferme. Lorsqu'il est froid, arrosez-le délicatement de sauce. Enfin, laissez-le reposer plusieurs heures avant de servir. Il est conseillé de préparer le vitello tonnato la veille pour que le rôti s'imprègne bien de sauce.

13 Blanquette de veau

- 1 kg d'épaule ou de poitrine de veau coupée en morceaux
- 16 oignons nouveaux
- 1 oignon piqué de 2 clous de girofle
- 1 carotte coupée en deux
- 1 petit poireau coupé dans le sens de la longueur
- 1 bouquet garni
- 1,25 litre de bouillon de poule chaud
- 30 g de beurre
- 30 g de farine
- 12 champignons de Paris
- 120 ml de crème fraîche
- 2 gros jaunes d'œufs
- 2 cuil. à soupe de jus de citron
- Persil frais, pour garnir
- Sel, poivre noir du moulin

Mettez la viande, les oignons, la carotte, le poireau et le bouquet garni dans une grande casserole. Versez le bouillon de poule et portez à ébullition à feu vif. Réduisez le feu et laissez mijoter 1 h, en écumant régulièrement, jusqu'à ce que la viande soit cuite. Égouttez en veillant à réserver le liquide. Mettez de côté le rôti et les oignons nouveaux, puis jetez les autres légumes.

Dans une casserole, réalisez un roux blanc avec le beurre et la farine : faites fondre le beurre à feu modéré, ajoutez la farine et mélangez de 1 à 2 min. Retirez du feu et incorporez au fouet 875 ml de bouillon de cuisson. Laissez mijoter 5 min à feu doux pour lier la sauce. Ajoutez les champignons et laissez mijoter 10 min.

Dans un petit saladier, fouettez la crème fraîche et les jaunes d'œufs. Versez-y 250 ml de sauce chaude. Incorporez le mélange ainsi obtenu dans la sauce restante. Ajoutez le jus de citron, salez et poivrez. Remettez le rôti et les oignons dans la casserole et réchauffez doucement le tout. Servez chaud, garni de persil.

POUR 4 À 6 PERSONNES • PRÉPARATION 25 MIN • CUISSON 2 H • NIVEAU 2

14 Bœuf bourguignon

- 2 cuil. à soupe de farine
- 1,5 kg de sauté de bœuf paré et coupé en morceaux
- 150 g de lardons fumés
- 8 échalotes épluchées
- 750 ml de vin rouge
- 125 ml de bouillon de bœuf + selon les besoins
- 1 gousse d'ail émincée
- ½ cuil. à soupe de thym + quelques tiges pour garnir
- 2 cuil. à soupe de persil ciselé
- 2 feuilles de laurier
- 1 cuil. à soupe de concentré de tomate
- 250 g de champignons de Paris équeutés
- Pommes de terre à l'eau ou riz, pour accompagner
- 4 cuil. à soupe d'huile d'olive
- Sel, poivre noir du moulin

Mettez la farine, du sel et du poivre dans un sachet en plastique. Ajoutez les morceaux de viande, puis secouez pour bien les enrober. Dans un faitout, faites chauffer 1 cuil. à soupe d'huile à feu modéré. Faites dorer les lardons et réservez-les. Faites dorer les échalotes de 7 à 8 min et réservez-les. Versez l'huile restante dans le faitout et faites-y dorer la viande pendant 5 min. Mouillez avec le vin et le bouillon, puis portez à ébullition. Incorporez l'ail, le thym, le persil, le laurier et le concentré de tomate. Couvrez et laissez mijoter à feu doux pendant 1 h 30. N'hésitez pas à ajouter un peu de bouillon si la sauce vous semble trop sèche.

Ajoutez les lardons, les échalotes et les champignons. Laissez mijoter 1 h de plus, jusqu'à ce que la viande soit bien tendre, en remuant de temps en temps. Salez et poivrez. Garnissez de thym et servez chaud avec des pommes de terre ou du riz.

POUR 4 À 6 PERSONNES • PRÉPARATION 25 MIN • CUISSON 3 H • NIVEAU 2

15 Osso buco à la milanaise

- 6 jarrets de veau coupés en tronçons de 4 cm d'épaisseur
- 75 g de farine
- 45 g de beurre
- 1 carotte émincée
- 1 oignon émincé
- 1 branche de céleri émincée
- 4 feuilles de sauge déchirées
- 200 ml de vin blanc sec
- 250 ml de bouillon de bœuf
- 3 cuil. à soupe de tomates mondées et concassées
- 4 cuil. à soupe d'huile d'olive
- Sel, poivre noir du moulin

Gremolata (facultatif)

- Le zeste de 1 citron bio
- 1 gousse d'ail hachée
- 2 cuil. à soupe de persil ciselé

Pratiquez 4 ou 5 entailles sur le bord de chaque jarret pour lui éviter de s'enrouler en cours de cuisson. Tournez les jarrets dans la farine. Salez et poivrez. Dans une cocotte, faites chauffer l'huile de feu modéré à vif. Saisissez rapidement les jarrets de chaque côté. Retirez et réservez.

Dans la même cocotte, faites fondre le beurre, puis faites-y revenir la carotte, l'oignon, le céleri et la sauge. Une fois les légumes cuits, ajoutez la viande et laissez cuire quelques minutes. Arrosez de vin. Après évaporation du vin, ajoutez le bouillon et les tomates. Salez et poivrez à votre convenance.

Couvrez et laissez mijoter 1 h 30 à feu doux, jusqu'à ce que la viande soit bien tendre, en ajoutant un peu de bouillon si nécessaire.

Préparez la gremolata. Si vous servez l'osso buco agrémenté de gremolata, incorporez le zeste de citron, l'ail et le persil dans le plat une fois cuit. Servez chaud avec du riz ou un risotto à la milanaise.

POUR 6 PERSONNES • PRÉPARATION 25 MIN • CUISSON 2 H • NIVEAU 2

Osso buco signifie littéralement « os troué », ce qui se réfère au jarret de veau utilisé dans cette spécialité milanaise. Cuisinée et servie avec son os, la moelle est considérée par les amateurs comme le fin du fin. Savoureuse préparation à base de zeste de citron, d'ail et de persil, la gremolata est ajoutée juste avant la fin de la cuisson – mais elle reste facultative.

16 Pot-au-feu

- 1 kg de bœuf (macreuse, paleron, collier, etc.)
- 250 ml de vin blanc sec
- 2 oignons épluchés
- 2 clous de girofle
- 4 gousses d'ail hachées
- 3 navets épluchés et coupés en deux
- 4 tomates coupées en deux
- 6 carottes
- 2 poireaux épluchés
- 1 bouquet garni
- Sel, poivre noir du moulin

Dans un grand faitout, déposez le bœuf et couvrez d'eau. Portez à ébullition à feu modéré. Versez le vin blanc. Piquez les oignons avec les clous de girofle et mettez-les dans le faitout, avec l'ail, les navets, les tomates, les carottes, les poireaux et le bouquet garni. Salez et poivrez. Portez à ébullition et écumez. Laissez mijoter pendant 2 à 3 h à feu modéré, jusqu'à ce que la viande soit bien tendre.

Découpez la viande et présentez-la, accompagnée de légumes, sur un grand plat de service.

POUR 6 À 8 PERSONNES • PRÉPARATION 25 MIN • CUISSON 2 À 3 H • NIVEAU 1

Une fois le bouillon refroidi, vous pouvez le dégraisser et le garder pour une utilisation ultérieure, comme un fond de soupe ou du bouillon de cuisson.

17 Mijoté de viandes
à l'italienne

- 2 oignons piqués avec 4 à 6 clous de girofle
- 3 branches de céleri parées
- 9 belles carottes coupées en gros tronçons
- 20 grains de poivre noir
- 2 cuil. à soupe de gros sel
- 2 kg de bœuf désossé (poitrine, gîte ou surlonge)
- 1 kg de veau désossé (poitrine ou épaule)
- 1 poulet de 1,5 kg
- 500 g de langue de veau
- Saucisse cotechino de 750 g
- 8 belles pommes de terre coupées en deux

Remplissez un gros faitout avec 6 litres d'eau froide. Jetez-y les oignons, le céleri, 1 carotte, le poivre et le sel. Portez à ébullition de feu modéré à vif. Ajoutez la viande de bœuf. Lorsque l'ébullition reprend, réduisez le feu et couvrez. Laissez mijoter 1 h.

Ajoutez la viande de veau, le poulet et la langue de veau. Laissez mijoter 1 h supplémentaire en versant de l'eau pour couvrir la viande, si nécessaire. Ensuite, ajoutez les pommes de terre et les 8 carottes restantes. Laissez mijoter 1 h de plus, jusqu'à ce que la viande et les pommes de terre soient bien cuites.

Faites cuire la saucisse cotechino séparément en respectant les instructions figurant sur le paquet. Égouttez, puis présentez la viande et les légumes sur un grand plat de service.

POUR 8 À 10 PERSONNES • PRÉPARATION 30 MIN • CUISSON 3 H • NIVEAU 2

18 Chili con carne

- 2½ cuil. à café de pâte de piment (en épicerie fine ou exotique)
- 1 bel oignon ciselé
- 2 gousses d'ail hachées
- 1 piment rouge coupé en rondelles
- 500 g de viande hachée de bœuf
- ½ cuil. à café de sel
- 2 cuil. à soupe de vin rouge
- 1 cuil. à café de piment broyé
- 2 cuil. à café de paprika
- ½ cuil. à café de graines de cumin
- 1 cuil. à café de coriandre moulue
- 1 cuil. à café d'origan séché
- 1 bâton de cannelle de 10 cm
- 1 poivron rouge coupé en morceaux
- 800 g de tomates en boîte + le jus
- 800 g de haricots rouges égouttés
- 2 cuil. à soupe de concentré de tomates
- 1 tige de thym
- 3 cuil. à soupe d'huile d'olive
- Sel, poivre noir du moulin

Dans une grande casserole, faites chauffer l'huile à feu modéré. Ajoutez 1½ cuil. à café de pâte de piment et mélangez pendant quelques secondes. Faites-y suer l'oignon pendant 3 à 4 min. Ajoutez l'ail et le piment. Faites-les revenir de 2 à 3 min.

Ajoutez la viande de bœuf et faites-la dorer 5 min. Salez, mouillez avec le vin et laissez mijoter 2 min. Ajoutez le piment broyé, le paprika, le cumin, la coriandre, l'origan, la cannelle et le poivron, en mélangeant pendant 1 à 2 min.

Ajoutez les tomates, les haricots et le concentré de tomate, en remuant jusqu'à l'obtention d'une sauce rouge homogène. Versez 120 ml d'eau.

Augmentez légèrement le feu et portez le chili à ébullition sans cesser de remuer. Salez et poivrez. Incorporez le reste de la pâte de piment et le thym.

Couvrez partiellement et laissez mijoter de 55 à 60 min à feu modéré. Remuez régulièrement pour éviter que cela n'attache. Versez 130 ml d'eau. Rectifiez l'assaisonnement. Retirez le bâton de cannelle et la tige de thym. Servez chaud.

POUR 6 PERSONNES • PRÉPARATION 45 MIN • CUISSON 1 H • NIVEAU 2

19 Bœuf rendang

Sauce aux épices
- 60 g de noix de coco râpée légèrement poêlée
- 4 échalotes coupées en morceaux
- 6 piments rouges épépinés et émincés
- 2 gousses d'ail hachées
- 2 cuil. à café de gingembre finement râpé
- 2 cuil. à café de coriandre moulue
- 2 cuil. à café de cumin moulu
- 1 cuil. à café de safran moulu
- 3 cuil. à soupe d'huile végétale

Curry
- 1,5 kg de viande de bœuf à braiser coupée en petits morceaux
- 2 tiges de citronnelle
- 1 bâton de cannelle
- 1,2 litre de lait de coco
- 1 cuil. à soupe de cassonade
- Riz basmati
- Sel

Préparez la sauce aux épices. Mettez tous les ingrédients dans un grand mortier et pilez le tout jusqu'à l'obtention d'une pâte homogène. Vous pouvez utiliser un robot ménager si vous préférez.

Préparez le curry. Mettez une casserole sur feu modéré. Versez-y le mélange d'épices et laissez-le chauffer 30 sec, jusqu'à ce qu'il libère ses saveurs. Ajoutez la viande, la citronnelle et la cannelle, puis enrobez bien le tout du mélange d'épices. Versez le lait de coco, ajoutez la cassonade et portez à ébullition. Laissez mijoter 2 h sur feu doux à découvert, jusqu'à évaporation du liquide : la viande doit cuire dans l'huile restante. Retirez la citronnelle et la cannelle, puis salez. Servez chaud avec du riz.

POUR 6 PERSONNES • PRÉPARATION 30 MIN • CUISSON 2 H • NIVEAU 2

20 Curry d'agneau

Sauce aux épices
- 40 g d'amandes
- 2 cuil. à soupe de coriandre ciselée
- 5 clous de girofle
- ½ bâton de cannelle
- ½ cuil. à café de grains de poivre
- 1 cuil. à soupe de cumin moulu
- 1 cuil. à café de piment en poudre
- 1 cuil. à café de sel
- ½ cuil. à café de safran moulu
- 6 gousses d'ail hachées
- 1 cuil. à soupe de gingembre râpé

Curry
- 60 ml de ghee (beurre clarifié)
- 1 kg d'agneau à ragoût coupé en morceaux
- 1 oignon finement ciselé
- 180 g de yaourt nature
- 60 g de concentré de tomate
- Coriandre

Préparez la sauce aux épices. Dans une poêle, faites chauffer à sec les amandes, la coriandre, les clous de girofle, la cannelle, les grains de poivre, le cumin, le piment, le sel et le safran pendant 1 min, afin de libérer les saveurs. Transférez dans un mortier ou dans un robot ménager et réduisez en poudre grossière. Ajoutez l'ail et le gingembre, puis mixez en ajoutant progressivement de l'eau, jusqu'à l'obtention d'une pâte homogène.

Préparez le curry. Dans une casserole, faites chauffer 2 cuil. à soupe de ghee à feu vif. Faites-y dorer la viande pendant 8 à 10 min. Réservez. Ajoutez le ghee restant dans la casserole. Faites-y revenir l'oignon de 3 à 4 min. Incorporez la sauce aux épices. Ajoutez 250 ml d'eau et la viande, puis laissez mijoter 30 min. Incorporez le yaourt et le concentré de tomate. Couvrez et laissez mijoter 30 min, jusqu'à ce que la viande soit tendre. Parsemez de coriandre et servez chaud.

POUR 6 PERSONNES • PRÉPARATION 30 MIN • CUISSON 1 H 15 • NIVEAU 1

Boulettes de porc au riz

Boulettes de poulet
à la noix de coco

Hamburgers aux oignons
et au chutney

Boulettes de bœuf au gingembre

Boulettes de bœuf fourrées
au fromage

Pain de viande
à la sauce tomate

Roulé de dinde à la sauce
à l'oignon

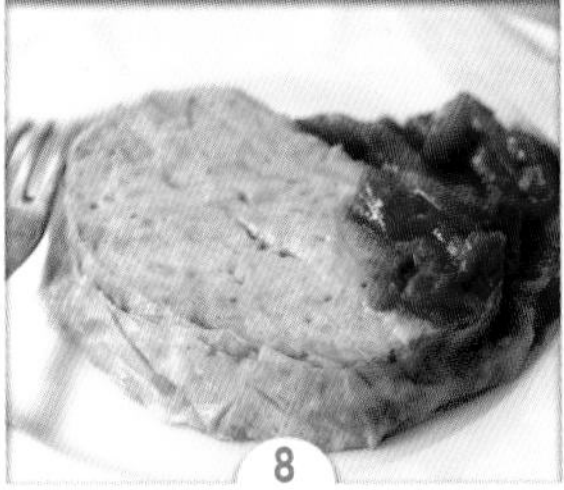

Chou farci à la dinde

Pain de poulet

Poivrons farcis à la viande
hachée et aux haricots

Hachis de bœuf aux légumes
et purée de pommes de terre

12
Saucisses de porc aux haricots et à la sauce tomate

13
Saucisses grillées aux petits pois et à la purée de pommes de terre à l'ail

14
Saucisses grillées à la compote de pommes

Petit Budget

15
Croquettes de viande aux pommes

16
Foie de veau sauté à la sauge fraîche

17
Foie à la vénitienne et purée de pommes de terre

18
Boulettes de bœuf à la sauce tomate

19
Mijoté de viande hachée

20
Gratin de pommes de terre à la saucisse et aux petits pois

1 Boulettes de porc au riz

- 500 g de viande hachée de porc
- 100 g de chapelure
- 2 gros œufs légèrement battus
- 2 cuil. à soupe de persil frais finement ciselé
- 3 gousses d'ail hachées
- 50 g de pignons de pin
- ½ cuil. à café de cannelle moulue
- ½ cuil. à café de noix muscade râpée
- 120 ml d'huile d'olive, pour la cuisson
- Sel, poivre noir du moulin

Dans un saladier, mettez la viande hachée, la chapelure, les œufs, le persil, l'ail, les pignons de pin, du sel, du poivre, la cannelle et la noix muscade. Mélangez bien le tout. À la main, formez des boulettes de la taille d'une balle de golf.

Faites chauffer l'huile dans une poêle de feu modéré à vif. Faites-y dorer les boulettes de viande pendant 5 à 10 min.

Retirez les boulettes de viande de la poêle à l'aide d'une écumoire et déposez-les sur du papier absorbant. Servez chaud.

POUR 4 PERSONNES • PRÉPARATION 15 MIN • CUISSON 5 À 10 MIN • NIVEAU 1

2 Boulettes de poulet
à la noix de coco

- 500 g de poulet haché
- 60 ml de sauce au piment thaïe + un peu pour servir
- 2 gousses d'ail hachées
- 1 cuil. à café de gingembre frais haché
- 1 cuil. à soupe de sauce de poisson thaïe
- 25 g de coriandre ciselée + un peu pour servir
- 150 ml de lait de coco
- Sel, poivre noir du moulin

Préchauffez le four à 200 °C (th. 6-7). Graissez légèrement 12 minimoules à muffins.

Dans un petit saladier, mélangez le poulet, la sauce au piment, l'ail, le gingembre, la sauce de poisson, la coriandre et le lait de coco. Salez, poivrez et mélangez bien.

À l'aide d'une cuillère à soupe, déposez le mélange dans les moules à muffins. Enfournez pour 15 à 20 min, jusqu'à ce que les boulettes soient bien dorées et bien cuites. Servez chaud avec la sauce au piment et de la coriandre.

POUR 4 PERSONNES • PRÉPARATION 15 MIN • CUISSON 15 À 20 MIN • NIVEAU 1

3 Hamburgers aux oignons
et au ketchup

- 600 g de viande hachée de bœuf ou de porc
- 3 oignons émincés
- 50 g de chapelure
- 75 g de lardons
- 1 gros œuf légèrement battu
- 2 gousses d'ail hachées
- 2 cuil. à soupe de persil ciselé
- 1 cuil. à café de sel
- ½ cuil. à café de poivre noir du moulin
- 4 petits pains à hamburger coupés en deux
- 120 g de ketchup
- 50 g de mesclun
- 120 g de mayonnaise
- 2 cuil. à soupe d'huile d'olive

Dans un robot ménager, mettez la viande, 1 oignon, la chapelure, les lardons, l'œuf, l'ail, le persil, le sel et le poivre. Mixez le tout. Versez le mélange dans un petit saladier. À la main, formez 4 burgers de même taille. Mettez-les sur une assiette et laissez-les reposer 1 h au réfrigérateur.

Préchauffez une poêle-gril ou une plancha à haute température. Badigeonnez les burgers avec 1 cuil. à soupe d'huile, puis faites-les cuire 4 min de chaque côté, jusqu'à ce qu'ils soient cuits à point. Pendant ce temps, versez la cuil. à soupe d'huile restante sur la poêle-gril ou la plancha et faites dorer les 2 oignons restants pendant 5 min, en remuant régulièrement. Faites légèrement toaster les petits pains.

Pour réaliser le hamburger, posez la base du petit pain sur une assiette, garnissez-la d'oignons, déposez la viande, un peu de ketchup et enfin, la salade. Tartinez la face interne du chapeau de mayonnaise et fermez le hamburger. Servez chaud.

POUR 4 PERSONNES • PRÉPARATION 15 MIN + 1 H DE REPOS • CUISSON 10 À 15 MIN • NIVEAU 1

Les hamburgers maison sont incomparablement plus savoureux que les hamburgers à emporter. Choisissez une viande de bonne qualité, mais pas trop maigre : la viande doit contenir un peu de matières grasses pour éviter de durcir à la cuisson.

4 Boulettes de bœuf
au gingembre

- 500 g de viande de bœuf ou d'agneau haché
- 1 cuil. à soupe de gingembre frais haché
- 2 gousses d'ail émincées
- 2 piments verts épépinés et émincés
- 1 petit oignon ciselé
- 1 gros œuf légèrement battu
- 1 cuil. à café de safran moulu
- 2 cuil. à soupe de coriandre ciselée
- 4 feuilles de menthe ciselées + un peu pour garnir
- 1 belle pomme de terre épluchée et grossièrement râpée
- 500 ml d'huile végétale, pour la cuisson
- Sel

Dans un saladier, mélangez la viande, le gingembre, l'ail, les piments, l'oignon, l'œuf, le safran, la coriandre et la menthe. Incorporez la pomme de terre. Salez. Formez des boulettes de la taille d'une balle de golf. Laissez reposer au réfrigérateur pendant 30 min.

Dans une sauteuse, faites chauffer l'huile à haute température. Faites frire les boulettes de viande en plusieurs fois, pendant 8 à 10 min, jusqu'à ce qu'elles soient bien dorées. Retirez-les de la sauteuse à l'aide d'une écumoire et laissez-les égoutter sur du papier absorbant. Garnissez de feuilles de menthe entières et servez aussitôt.

POUR 4 PERSONNES • PRÉPARATION 15 MIN + 30 MIN AU RÉFRIGÉRATEUR • CUISSON 10 À 15 MIN • NIVEAU 1

5 Boulettes de bœuf fourrées au fromage

- 60 ml de lait
- 100 g de chapelure
- 750 g de viande hachée de bœuf maigre
- 1 gros œuf légèrement battu
- 2 cuil. à soupe de persil ciselé
- 180 g de gruyère coupé en cubes
- 30 g de farine
- 60 g de beurre
- 120 ml de vin blanc sec
- Sel, poivre noir du moulin

Dans un bol, versez le lait sur la chapelure. Ensuite, dans un saladier, mélangez la viande avec la chapelure ramollie, l'œuf et le persil. Salez et poivrez. Formez des boulettes. Placez un morceau de fromage au centre de chaque boulette en veillant à bien la refermer.

Versez la farine sur une assiette et roulez-y les boulettes. Faites fondre le beurre dans une poêle à feu modéré. Déposez-y les boulettes et faites-les bien dorer pendant 5 min. Versez le vin et laissez mijoter de 2 à 3 min. Réduisez le feu, couvrez et laissez mijoter pendant 15 à 20 min, jusqu'à ce que les boulettes soient cuites à cœur et tendres. Servez chaud ou tiède.

POUR 4 PERSONNES • PRÉPARATION 15 MIN • CUISSON 25 À 30 MIN • NIVEAU 1

6 Pain de viande
à la sauce tomate

- 750 g de viande hachée de bœuf
- 1 gros œuf
- 250 g de chair à saucisse
- 1 pincée de noix muscade (facultatif)
- 50 g de chapelure trempée dans 2 cuil. à soupe de lait puis bien pressée
- 1 gousse d'ail émincée
- 2 cuil. à soupe de persil ciselé + un peu pour garnir
- 4 cuil. à soupe de farine
- 15 g de beurre
- 1 petit oignon ciselé
- 1 petite carotte émincée
- 1 petite branche de céleri émincée
- 400 g de tomates mondées et concassées, fraîches ou en boîte
- 250 ml de bouillon de bœuf
- Purée de pommes de terre à l'ail (voir page 136), pour accompagner
- 120 ml d'huile d'olive
- Sel, poivre noir du moulin

Dans un saladier, mélangez la viande hachée avec l'œuf, la chair à saucisse, la noix muscade, la chapelure, l'ail et le persil. Salez et poivrez. À la main, mettez le tout en forme de pain. Versez la farine dans un grand plat et roulez-y délicatement le pain de viande.

Faites chauffer la moitié de l'huile dans une sauteuse à feu modéré et faites-y délicatement dorer le pain de viande, sur toutes les faces, pendant 10 min. Utilisez une fourchette et une spatule en bois pour éviter qu'il ne se morcelle ou ne s'émiette en cours de cuisson. Égouttez le pain de viande et réservez-le.

Faites chauffer le beurre et le reste d'huile dans la sauteuse. Ajoutez l'oignon, la carotte, le céleri et faites revenir le tout pendant 4 à 5 min. Ajoutez les tomates et laissez mijoter 5 min. Déposez le pain de viande dans la sauteuse, salez et poivrez. Couvrez partiellement et laissez mijoter à feu modéré pendant 1 h. Remuez de temps en temps pour éviter que le pain de viande n'attache. Si la sauce devient trop épaisse, ajoutez un peu de bouillon.

Réservez et laissez refroidir. Tranchez le pain de viande tiède et présentez-le sur un plat de service. Réchauffez la sauce juste avant de servir et arrosez-en les tranches. Garnissez de persil et servez avec de la purée de pommes de terre à l'ail.

POUR 4 À 6 PERSONNES • PRÉPARATION 30 MIN • CUISSON 1 H 20 • NIVEAU 2

7 Roulé de dinde
à la sauce à l'oignon

- 1,5 kg de poitrine de dinde
- 3 cuil. à soupe de farine
- 15 g de beurre
- 4 beaux oignons blancs grossièrement émincés
- 1 litre de bouillon de bœuf
- Purée de pommes de terre, pour accompagner
- 120 ml d'huile d'olive
- Sel, poivre noir du moulin

Roulez la poitrine de dinde et maintenez-la à l'aide de ficelle de cuisine. Salez, poivrez et tournez dans la farine. Faites fondre le beurre et l'huile dans une sauteuse, puis faites-y revenir le roulé de dinde pendant 5 à 7 min. Ajoutez les oignons, mélangez délicatement en veillant à ce que le roulé soit toujours en contact avec le fond de la sauteuse (plutôt que les oignons). Faites revenir 5 min supplémentaires.

Recouvrez la viande de bouillon. Couvrez partiellement la sauteuse et baissez le feu. Laissez mijoter 45 min, jusqu'à l'obtention d'une sauce légèrement brune et liée par les oignons fondus. Mouillez avec du bouillon en cours de cuisson, selon les besoins. Servez chaud avec de la purée de pommes de terre.

POUR 6 À 8 PERSONNES • PRÉPARATION 15 MIN • CUISSON 1 H • NIVEAU 2

8 Chou farci à la dinde

- 750 g de poitrine de dinde hachée
- 150 g de chair à saucisse
- 60 g de lardons
- 60 g de parmesan râpé
- 1 gros œuf + 1 gros jaune
- 50 g de chapelure trempée dans du lait chaud, puis bien pressée
- 1 pincée de noix muscade
- 8 à 10 feuilles de chou de Milan
- 2 échalotes émincées
- 400 g de tomates mondées et concassées
- 120 ml de vin blanc
- 120 ml de bouillon de bœuf
- 6 cuil. à soupe d'huile d'olive
- Sel, poivre noir du moulin

Préchauffez le four à 200 °C (th. 6-7). Dans un saladier, mélangez la viande, la chair à saucisse, les lardons, le parmesan, les œufs, la chapelure, la noix muscade, du sel et du poivre. Mélangez bien.

Blanchissez le chou de 4 à 5 min dans de l'eau salée. Égouttez-le bien. Disposez les feuilles sur un plan de travail en les laissant se chevaucher, de manière à former un rectangle. Déposez la préparation à base de viande au milieu et formez un pain de viande. Enroulez-le dans les feuilles de chou, en veillant à ce qu'elles ne se déchirent pas. Maintenez-les à l'aide de ficelle de cuisine.

Déposez le chou farci dans un plat allant au four avec les échalotes, les tomates et l'huile. Enfournez pour 1 h 15 en arrosant régulièrement de vin. Lorsqu'il n'y a plus de vin, mouillez avec le bouillon. Servez chaud.

POUR 4 PERSONNES • PRÉPARATION 45 MIN • CUISSON 1 H 15 À 1 H 20 • NIVEAU 2

9 Pain de poulet

- 750 g d'escalopes de poulet hachées
- 125 g de chapelure
- 100 g de maïs en boîte égoutté
- 150 g de petits pois surgelés
- 1 gros œuf
- Sel, poivre noir du moulin

Préchauffez le four à 180 °C (th. 6). Mettez les escalopes, la chapelure, le maïs, les petits pois, l'œuf, du sel et du poivre dans un saladier, puis mélangez bien.

Donnez une forme de pain de viande au mélange, puis enroulez-le dans du papier sulfurisé humecté. Maintenez-le en forme à l'aide de ficelle de cuisine. Mettez-le dans un plat allant au four.

Enfournez-le pour 45 min, jusqu'à ce qu'il soit tendre et cuit à cœur. Retirez-le du four et ôtez le papier sulfurisé. Découpez en tranches et servez chaud. Vous pouvez également le servir froid.

POUR 4 À 6 PERSONNES • PRÉPARATION 15 MIN • CUISSON 45 MIN • NIVEAU 1

Vous pouvez agrémenter ce pain de poulet de 1 cuil. à café d'origan séché. C'est un plat idéal pour un pique-nique savoureux. Il est également délicieux en tranches, dans des sandwiches.

10 Poivrons farcis
à la viande hachée et aux haricots

- 4 poivrons rouges coupés en deux et épépinés
- 500 g de viande hachée de bœuf
- 1 oignon ciselé
- 2 cuil. à café de piment en poudre
- 400 g de tomates en boîte au jus
- 400 g de haricots blancs en boîte égouttés
- Crème fraîche, pour servir
- Feuilles de coriandre, pour garnir
- 2 cuil. à soupe d'huile d'olive
- Sel, poivre noir du moulin

Préchauffez le four à 200 °C (th. 6-7). Disposez les poivrons dans un plat allant au four, partie ouverte vers le haut. Enfournez pour 25 à 30 min de cuisson, jusqu'à ce qu'ils soient tendres.

Dans une grande poêle, faites revenir la viande et l'oignon dans l'huile d'olive, à feu modéré, pendant 5 min. Ajoutez le piment en poudre et les tomates. Salez et poivrez. Portez à ébullition, puis laissez mijoter à feu doux pendant 15 min, jusqu'à réduction du jus de cuisson. Ajoutez les haricots et mélangez pour bien les réchauffer.

À l'aide d'une cuillère à soupe, déposez le mélange de viande dans les poivrons. Arrosez de crème fraîche et garnissez de coriandre. Servez chaud.

POUR 4 PERSONNES • PRÉPARATION 15 MIN • CUISSON 25 À 30 MIN • NIVEAU 1

11 Hachis de bœuf

aux légumes et purée de pommes de terre

- 500 g de pommes de terre épluchées et coupées en dés
- 30 g de beurre
- 2 cuil. à soupe de lait
- 2 gousses d'ail ciselées
- 1 oignon ciselé
- 500 g de viande hachée de bœuf
- 500 ml de tomates concassées en boîte
- 150 g de petits pois, carottes et maïs surgelés
- Brins de persil, pour garnir
- 1 cuil. à soupe d'huile d'olive
- Sel, poivre noir du moulin

Jetez les pommes de terre dans de l'eau bouillante salée et faites-les cuire jusqu'à ce qu'elles soient tendres. Égouttez-les et remettez-les dans la casserole. Ajoutez le beurre et le lait. Écrasez le tout jusqu'à l'obtention d'une consistance homogène. Salez et poivrez.

Sur feu modéré, faites suer l'ail et l'oignon dans de l'huile pendant 3 à 4 min. Ajoutez la viande de bœuf et faites-la dorer pendant 5 min. Incorporez les tomates. Portez à ébullition, couvrez et laissez mijoter de 10 à 15 min à feu modéré, pour faire réduire le jus de cuisson. Ajoutez les légumes et laissez mijoter 10 min. Salez et poivrez. Servez chaud avec la purée, le tout garni de persil.

POUR 4 PERSONNES • PRÉPARATION 20 MIN • CUISSON 25 À 30 MIN • NIVEAU 1

12 Saucisses de porc
aux haricots et à la sauce tomate

- 2 gousses d'ail ciselées
- 4 feuilles de sauge
- 400 g de haricots cannellini ou de haricots blancs en boîte égouttés
- 500 g de tomates mondées et coupées en dés
- 8 saucisses de porc aux herbes
- 4 cuil. à soupe d'huile d'olive
- Sel, poivre noir du moulin

Faites chauffer l'huile dans une cocotte, en céramique de préférence, et faites-y revenir l'ail et la sauge. Ajoutez les haricots et laissez-les cuire quelques minutes, jusqu'à ce qu'ils absorbent l'assaisonnement.

Ajoutez les tomates, salez et poivrez. Piquez les saucisses à l'aide d'une fourchette et déposez-les dans la cocotte. Couvrez et laissez cuire de feu modéré à doux pendant 25 min, en mélangeant régulièrement. Servez chaud.

POUR 4 PERSONNES • PRÉPARATION 15 MIN • CUISSON 30 À 35 MIN • NIVEAU 1

Cette recette s'inspire d'une spécialité toscane. Si vous avez le temps, utilisez des haricots secs. Faites-les tremper 12 h, puis faites-les cuire dans de l'eau salée jusqu'à ce qu'ils soient tendres.

13 Saucisses grillées aux petits pois et à la purée de pommes de terre à l'ail

- 1 kg de pommes de terre épluchées
- 2 gousses d'ail ciselées
- 60 g de beurre salé
- 300 g de petits pois surgelés
- 8 saucisses
- 8 gousses d'ail entières
- Sel

Pour préparer la purée de pommes de terre à l'ail, jetez les pommes de terre dans de l'eau bouillante salée et faites-les cuire jusqu'à ce qu'elles soient tendres. Égouttez-les bien et écrasez-les avec l'ail ciselé et le beurre. Jetez les petits pois dans de l'eau bouillante salée et faites-les cuire 5 min, jusqu'à ce qu'ils soient tendres. Égouttez bien.

Préchauffez une poêle-gril ou une plancha. Faites bien dorer les saucisses avec les gousses d'ail entières, jusqu'à ce qu'elles soient cuites à cœur, pendant 5 à 10 min. Servez chaud accompagné de purée de pommes de terre à l'ail et de petits pois.

POUR 4 PERSONNES • PRÉPARATION 10 MIN • CUISSON 10 MIN • NIVEAU 1

14 Saucisses grillées
à la compote de pommes

- 1 kg de pommes de terre épluchées et coupées en dés
- 2 pommes golden épluchées et coupées en quatre
- ½ cuil. à café de sel
- 1 petit oignon coupé en quatre, puis en fines lamelles
- 60 g de beurre
- 1 cuil. à soupe de vinaigre de cidre
- ½ cuil. à café de sucre en poudre
- 1 pincée de noix muscade
- 8 saucisses
- Brins de ciboulette, pour garnir

Mettez les pommes de terre, les pommes et le sel dans une grande casserole. Recouvrez d'eau. Portez à ébullition, couvrez et laissez cuire 10 min, jusqu'à ce que les pommes de terre et les pommes soient tendres. Dans une petite poêle, faites fondre le beurre à feu modéré. Faites-y suer l'oignon pendant 3 à 4 min. Égouttez les pommes de terre et les pommes. Ajoutez l'oignon fondu, le vinaigre, le sucre et la noix muscade. Écrasez à la fourchette jusqu'à l'obtention d'un mélange homogène.

Préchauffez une poêle-gril ou une plancha. Faites dorer les saucisses de 5 à 10 min, jusqu'à ce qu'elles soient cuites à cœur. Servez chaud avec la purée et garnissez de ciboulette.

POUR 4 PERSONNES • PRÉPARATION 10 MIN • CUISSON 10 MIN • NIVEAU 1

15 Croquettes de viande
aux pommes

- 2 pommes (type granny smith)
- 600 g de viande hachée maigre de bœuf
- 2 gros œufs battus
- 60 g de parmesan
- 2 gousses d'ail hachées
- 150 g de farine
- 125 g de beurre
- 2 cuil. à soupe de sucre en poudre
- 60 ml de vin blanc sec
- Sel, poivre noir du moulin

Passez les pommes sous l'eau et râpez-les dans un saladier. Ajoutez la viande hachée, les œufs, le parmesan, l'ail, du sel et du poivre, puis mélangez bien le tout. Formez des croquettes de forme oblongue et tournez-les dans la farine.

Dans une grande poêle, faites fondre le beurre et faites-y dorer les croquettes.

Dissolvez le sucre dans le vin et arrosez les croquettes à l'aide d'une cuillère à soupe. Laissez mijoter pour que le jus réduise un peu. Servez chaud ou froid.

POUR 4 PERSONNES • PRÉPARATION 10 MIN • CUISSON 15 MIN • NIVEAU 1

Les pommes confèrent aux croquettes une texture souple et une saveur douce et fruitée.

16 Foie de veau sauté
à la sauge fraîche

- 600 g de foie de veau coupé en tranches
- 2 cuil. à soupe de farine
- 2 gousses d'ail ciselées
- 10 feuilles de sauge fraîche
- Purée de pommes de terre, pour accompagner
- Salade verte, pour accompagner
- 2 cuil. à soupe d'huile d'olive
- Sel, poivre noir du moulin

Demandez au boucher de trancher le foie de veau. Farinez légèrement les tranches et réservez-les sur une assiette.

Dans une sauteuse, faites chauffer l'huile à feu vif. Faites-y revenir l'ail et la sauge pendant 1 à 2 min, puis déposez les tranches de foie de veau.

Faites bien dorer des 2 côtés. Servez chaud avec la purée de pommes de terre et la salade verte.

POUR 4 PERSONNES • PRÉPARATION 10 MIN • CUISSON 7 À 10 MIN • NIVEAU 1

17 Foie à la vénitienne
et purée de pommes de terre

- 750 g d'oignons blancs ciselés
- 60 g de beurre
- 750 g de foie de veau coupé en fines lanières
- 2 cuil. à soupe de persil ciselé
- Purée de pommes de terre, pour accompagner
- 2 cuil. à soupe d'huile d'olive
- Sel, poivre noir du moulin

Dans une grande poêle, faites fondre le beurre et l'huile à feu doux. Faites suer doucement les oignons pendant 20 min, puis ajoutez le foie de veau.

Faites cuire à feu vif 5 min au maximum, en remuant de temps en temps. Au-delà de 5 min de cuisson, le foie de veau devient trop ferme. Salez juste avant d'ôter du feu.

Poivrez, parsemez de persil et servez chaud avec de la purée de pommes de terre.

POUR 6 PERSONNES • PRÉPARATION 15 MIN • CUISSON 25 À 30 MIN • NIVEAU 1

18 Boulettes de bœuf
à la sauce tomate

Sauce
- 1 petit oignon blanc ciselé
- 400 g de tomates mondées et concassées, fraîches ou en boîte
- 1 cuil. à café d'origan
- 3 cuil. à soupe d'huile d'olive
- Sel

Boulettes
- 60 g de chapelure fraîche
- 60 ml de lait
- 400 g de viande hachée de bœuf
- 100 g de pecorino sec
- 2 gros œufs
- 1 cuil. à soupe d'oignon ciselé
- 1 cuil. à soupe de persil ciselé + un peu pour garnir
- 1 gousse d'ail ciselée
- Riz ou pommes de terre, pour accompagner
- Sel, poivre noir du moulin

Préparez la sauce. Faites chauffer l'huile dans une cocotte à feu modéré. Faites-y suer l'oignon pendant 3 à 4 min. Ajoutez les tomates, l'origan et du sel. Laissez cuire à découvert, de feu modéré à doux, pendant 10 min.

Préparez les boulettes. Mettez la chapelure dans un saladier avec le lait. Incorporez la viande et les autres ingrédients, salez et poivrez, puis mélangez bien le tout.

À la main, formez des boulettes avec ce mélange. Déposez-les dans la sauce tomate chaude. Laissez mijoter de 15 à 20 min, en remuant délicatement une ou deux fois. Servez chaud, garni de persil, avec du riz ou des pommes de terre.

POUR 4 PERSONNES • PRÉPARATION 15 MIN • CUISSON 25 À 30 MIN • NIVEAU 2

Ces boulettes de hachis remportent un vif succès auprès des enfants. Servez-les avec de la purée de pommes de terre ou du riz et un peu de salade verte pour un repas familial complet et équilibré.

19 Mijoté de viande hachée

- 750 g de viande hachée maigre de bœuf
- 2 gousses d'ail ciselées
- 1 cuil. à soupe de persil ciselé
- ½ cuil. à café de sel
- ½ cuil. à café de poivre blanc du moulin
- 750 g de pommes de terre découpées en dés
- 2 beaux oignons émincés
- 1 belle carotte coupée en dés
- 250 g de champignons de Paris finement émincés
- 150 g de petits pois surgelés
- 3 cuil. à soupe de farine
- 120 ml de lait
- 1 cuil. à soupe de Worcestershire sauce

Préchauffez le four à 180 °C (th. 6). Mélangez la viande, l'ail, le persil, le sel et le poivre dans une cocotte en fonte. Ajoutez les pommes de terre, les oignons, la carotte, les champignons et les petits pois.

Dans un bol, mélangez la farine et le lait jusqu'à l'obtention d'une pâte homogène. Versez ce mélange ainsi que la Worcestershire sauce dans la cocotte, puis remuez délicatement.

Enfournez pour 45 à 60 min, jusqu'à ce que la viande et les pommes de terre soient cuites. Remuez plusieurs fois en cours de cuisson. Servez chaud.

POUR 4 À 6 PERSONNES • PRÉPARATION 15 MIN • CUISSON 45 À 60 MIN • NIVEAU 1

20 Gratin de pommes de terre
à la saucisse et aux petits pois

- 750 g de saucisses coupées en rondelles
- 4 belles pommes de terre épluchées et coupées en cubes
- 300 g de petits pois surgelés
- 4 gousses d'ail ciselées
- 500 ml de lait
- 300 ml de velouté de champignons du commerce
- Sel, poivre noir du moulin

Préchauffez le four à 180 °C (th. 6). Mélangez les saucisses, les pommes de terre, les petits pois, l'ail, le lait et le velouté de champignons dans une cocotte. Salez, poivrez et mélangez bien le tout.

Couvrez et enfournez pour 1 h 30, jusqu'à ce que les pommes de terre soient bien cuites. Servez chaud.

POUR 4 À 6 PERSONNES • PRÉPARATION 20 MIN • CUISSON 1 H 30 • NIVEAU 1

Mijoté de bœuf à la bière noire

Mijoté de bœuf à la bière brune

Fricassée de poulet au vin rouge et aux boulettes

Curry d'agneau à la cardamome et aux amandes

Bœuf au whisky et aux fruits secs

Mijoté de bœuf au vin rouge

Mijoté d'agneau au citron et à l'ail

Mijoté d'agneau aux haricots, aux olives et aux pâtes

Bœuf braisé à la toscane

Mijoté de bœuf aux légumes

Mijoté fermier

12
Mijoté d'agneau au romarin, à l'ail et aux petits pois

13
Agneau épicé de quatre heures

14
Bœuf braisé au barolo

Cocottes et mijotés

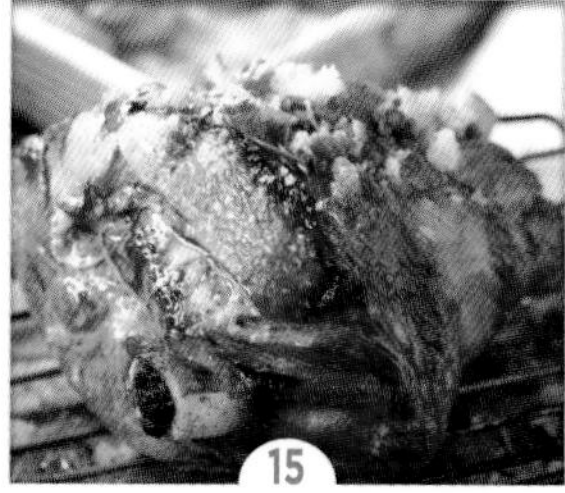
15
Gigot d'agneau aux herbes aromatiques

16
Tajine de poulet aux poires et à la cannelle

17
Tajine d'agneau aux raisins secs, au miel et aux amandes

18
Roulade de veau aux pommes de terre

19
Mijoté de chevreuil

20
Cocotte d'agneau aux pommes de terre

1 Mijoté de bœuf
à la bière noire

- 1 kg de rôti de bœuf dans la macreuse coupé en petits morceaux
- ½ cuil. à café de sel
- ½ cuil. à café de poivre noir du moulin
- ¼ cuil. à café de romarin séché
- ¼ cuil. à café de sauge séchée
- ¼ cuil. à café d'estragon séché
- 1 feuille de laurier
- 300 ml de bouillon de bœuf
- 300 ml de bière noire
- 4 carottes coupées en dés
- 4 pommes de terre épluchées et coupées en dés
- 6 oignons épluchés et coupés en quatre
- 30 g de farine
- 2 cuil. à soupe d'huile végétale

Dans une sauteuse, faites chauffer l'huile à feu vif. Faites-y dorer les morceaux de viande sur toutes les faces pendant 10 min. Ajoutez le sel, le poivre, le romarin, la sauge, l'estragon et la feuille de laurier. Mouillez avec le bouillon et la bière. Couvrez et laissez mijoter pendant 2 h.

Ajoutez les carottes, les pommes de terre et les oignons et poursuivez la cuisson jusqu'à ce que les légumes soient tendres, pendant 30 à 40 min.

Dans un bol, mélangez la farine et 60 ml d'eau jusqu'à l'obtention d'une pâte homogène. Incorporez dans la sauteuse et laissez mijoter jusqu'à ce que la sauce épaississe légèrement. Retirez la feuille de laurier et servez chaud.

POUR 4 À 6 PERSONNES • PRÉPARATION 20 MIN • CUISSON 3 H • NIVEAU 1

2 Mijoté de bœuf
à la bière brune

- 1,5 kg de rôti de bœuf dans la macreuse coupé en morceaux
- 3 feuilles de laurier
- 3 tiges de romarin
- 3 tiges de thym
- 30 g de beurre
- 2 oignons blancs ciselés
- 50 g de farine
- 350 ml de bière brune
- 1 litre de bouillon de bœuf chaud
- 400 g de tomates en boîte + le jus
- 4 pommes de terre épluchées et coupées en dés
- 3 carottes coupées en dés
- 3 branches de céleri coupées en rondelles
- 1 petit rutabaga épluché et coupé en dés
- 4 cuil. à soupe d'huile végétale
- Sel, poivre noir du moulin

Salez et poivrez la viande. Nouez les feuilles de laurier, le romarin et le thym pour confectionner un bouquet garni.

Dans une sauteuse, faites chauffer le beurre et l'huile à feu vif. Faites-y dorer la viande pendant 10 min. Retirez la viande de la sauteuse et réservez. Ajoutez les oignons et faites-les suer à feu modéré pendant 3 à 4 min. Laissez mijoter à feu doux pendant 45 min, pour que le tout dore et caramélise.

Saupoudrez les oignons de farine et mélangez. Remettez la viande dans la sauteuse. Ajoutez la bière, le bouillon, les tomates et le bouquet garni. Salez et poivrez. Portez à ébullition, couvrez et laissez mijoter 45 min. Ajoutez les légumes et laissez mijoter encore 1 h. Servez chaud.

POUR 4 À 6 PERSONNES • PRÉPARATION 30 MIN • CUISSON 3 H • NIVEAU 1

3 Fricassée de poulet
au vin rouge et aux boulettes

Fricassée
- 6 gros morceaux de poulet
- 3 cuil. à soupe de farine
- 3 oignons épluchés et coupés en quartiers
- 250 g de pancetta ou de lard
- 3 gousses d'ail émincées
- 350 g de grands champignons plats émincés
- 2 feuilles de laurier
- 6 lamelles de zeste d'orange bio
- 250 ml de vin rouge
- 375 ml de bouillon de poule
- 3 cuil. à soupe d'huile d'olive
- Sel, poivre noir du moulin

Boulettes
- 100 g de farine
- 1 cuil. à café de levure chimique
- 100 g de chapelure fraîche
- 1 cuil. à soupe de moutarde de Dijon
- 150 g de beurre coupé en dés
- 2 cuil. à café de feuilles de thym
- 2 cuil. à soupe de persil ciselé
- 2 œufs moyens légèrement battus
- Sel, poivre noir du moulin

Préparez la fricassée. Préchauffez le four à 170 °C (th. 6). Salez et poivrez le poulet, puis enrobez-le avec 2 cuil. à soupe de farine. Faites chauffer l'huile dans une grande cocotte en fonte. Faites-y dorer les morceaux de poulet à feu vif pendant 5 à 10 min. Retirez les morceaux de poulet et réservez-les.

Mettez les oignons et la pancetta à la place. Faites-les dorer à feu modéré pendant 5 min. Ajoutez l'ail et la farine restante. Poursuivez la cuisson 1 min, en remuant pour éviter que cela n'attache.

Ajoutez les champignons, les feuilles de laurier, le zeste d'orange, le vin et le bouillon de poule. Salez et poivrez. Remettez les morceaux de poulet dans la cocotte en veillant à ce qu'ils soient bien recouverts de liquide. Portez à ébullition. Couvrez et enfournez pour 1 h.

Préparez les boulettes. Mettez la farine, la levure, la chapelure, la moutarde et le beurre dans un robot ménager. Réduisez le tout en miettes. Ajoutez le thym, le persil, les œufs, du sel et du poivre. Mixez de nouveau pour former une pâte. Farinez-vous les mains et formez 6 grosses boulettes.

Retirez la cocotte du four et déposez les boulettes sur le dessus. Couvrez et enfournez pour 45 min, jusqu'à ce que le poulet soit bien tendre et que les boulettes aient gonflé. Servez chaud.

POUR 6 PERSONNES • PRÉPARATION 30 MIN • CUISSON 2 H • NIVEAU 2

4 Curry d'agneau
à la cardamome et aux amandes

- 30 g de beurre
- 4 gousses de cardamome écrasées
- 1 petit bâton de cannelle
- 750 g de gigot d'agneau coupé en petits cubes
- 3 cuil. à soupe de yaourt
- 150 ml de crème fraîche
- 1 cuil. à soupe de feuilles de coriandre ciselées
- 1 cuil. à soupe d'amandes effilées grillées
- 1 cuil. à soupe d'huile de tournesol
- Sel, poivre noir du moulin

Pâte de curry

- 2 gousses d'ail ciselées
- 2 piments verts émincés
- 1 oignon ciselé
- ½ cuil. à café de sel
- 1 cuil. à café de cardamome moulue

Préparez la pâte de curry. Dans un mortier, pilez l'ail, les piments, l'oignon et le sel. Ajoutez la cardamome et 1 cuil. à café d'eau. Mélangez jusqu'à l'obtention d'une pâte homogène. Réservez.

Dans une grande poêle, faites chauffer le beurre et l'huile à feu modéré. Ajoutez les gousses de cardamome et le bâton de cannelle. Remuez 10 s pour libérer les saveurs. Ajoutez la pâte de curry et faites revenir pendant 5 min.

Ajoutez la viande et faites-la dorer de 8 à 10 min. Salez. Incorporez le yaourt et recouvrez la viande d'eau. Couvrez et laissez mijoter à feu doux pendant 1 à 2 h. Retirez le couvercle et laissez cuire 15 min, jusqu'à ce que la sauce ait réduit. Incorporez la crème fraîche. Portez à ébullition, salez et poivrez. Garnissez de coriandre et d'amandes effilées. Servez chaud.

POUR 4 PERSONNES • PRÉPARATION 30 MIN
• CUISSON 1 H 30 À 2 H 30 • NIVEAU 1

5 Bœuf au whisky
et aux fruits secs

- 250 g de pruneaux dénoyautés
- 180 g d'abricots secs
- 1,5 kg de gîte ou de poitrine de bœuf
- 30 g de beurre
- 2 oignons émincés
- 1 belle pomme émincée
- 1 cuil. à soupe de cassonade
- 1 cuil. à café de clous de girofle écrasés
- 120 ml de whisky
- 1 feuille de laurier
- 1 cuil. à soupe de farine
- 2 cuil. à soupe de persil ciselé
- Sel, poivre noir du moulin

Faites tremper les pruneaux et les abricots dans de l'eau froide toute une nuit. Égouttez et réservez l'eau de trempage. Salez et poivrez la viande. Faites fondre le beurre dans une grande casserole à feu vif. Faites-y dorer la viande sur toutes les faces pendant 8 à 10 min.

Ajoutez les oignons, la pomme, la cassonade, les clous de girofle, le whisky, 250 ml d'eau et la feuille de laurier. Portez à ébullition. Couvrez et laisser mijoter à feu doux pendant 2 h. Ajoutez les pruneaux, les abricots et 125 ml d'eau de trempage. Poursuivez la cuisson pendant 30 min. Salez et poivrez. Découpez la viande et disposez-la sur un plat de service avec les fruits.

Mélangez la farine avec un peu d'eau. Incorporez au jus de cuisson. Laissez cuire 2 min sans cesser de remuer. Arrosez-en la viande. Garnissez de persil et servez chaud.

POUR 4 PERSONNES • PRÉPARATION 20 MIN + 12 H DE TREMPAGE • CUISSON 3 H • NIVEAU 1

6 Mijoté de bœuf au vin rouge

- 3 cuil. à soupe de farine
- 600 g de bœuf à braiser ou de macreuse, coupé en cubes
- 2 oignons grossièrement ciselés
- 2 tiges de thym
- 250 ml de vin rouge sec
- 300 ml de bouillon de bœuf
- 2 carottes coupées en rondelles
- 250 g de châtaignes pelées cuites, fraîchement grillées ou sous vide
- Riz ou pommes de terre, pour accompagner
- 2 cuil. à soupe d'huile d'olive
- Sel, poivre noir du moulin

Salez et poivrez généreusement la farine. Saupoudrez le bœuf de la farine assaisonnée et retournez-le dedans. Faites chauffer l'huile dans une sauteuse à feu vif. Ajoutez le bœuf et faites-le dorer de 5 à 10 min.

Ajoutez les oignons et faites-les dorer. Ajoutez le thym, le vin et le bouillon. Portez à ébullition, réduisez le feu, couvrez et laissez mijoter 1 h.

Ajoutez les carottes et les châtaignes. Salez et poivrez. Laissez mijoter pendant 1 h de plus, jusqu'à ce que la viande soit bien tendre.

Servez chaud avec du riz ou des pommes de terre.

POUR 4 PERSONNES • PRÉPARATION 20 MIN • CUISSON 2 H • NIVEAU 1

On peut trouver des châtaignes cuites sous vide dans de nombreux supermarchés et dans les épiceries fines. Vous pouvez également préparer vos propres châtaignes : laissez-les tremper 30 min dans de l'eau, percez-les à l'aide d'un couteau aiguisé et enfournez-les pour 30 min à 225 °C (th. 7-8). Laissez-les refroidir et pelez-les.

2 PINT
SUPER

7 Mijoté d'agneau
au citron et à l'ail

- 1 kg d'agneau maigre désossé et coupé en dés
- 1 oignon ciselé
- 3 gousses d'ail ciselées
- 1 cuil. à soupe de paprika
- 3 cuil. à soupe de persil ciselé + un peu pour garnir
- 3 cuil. à soupe de jus de citron
- 120 ml de vin blanc sec ou d'eau, selon les besoins
- Semoule de couscous, pour accompagner
- 3 cuil. à soupe d'huile d'olive
- Sel, poivre noir du moulin

Faites chauffer l'huile dans une grande poêle à feu modéré. Faites-y dorer la viande pendant 5 à 10 min. Retirez la viande et réservez-la, ainsi que le jus de cuisson.

Faites suer l'oignon et l'ail dans la poêle de 3 à 4 min à feu modéré. Ajoutez le paprika, la viande et le jus de cuisson, le persil et le jus de citron. Salez et poivrez. Couvrez et laissez mijoter à feu très doux pendant 1 h 30 en remuant de temps en temps, jusqu'à ce que la viande soit bien tendre. Arrosez de vin et d'eau si nécessaire. Parsemez de persil et servez chaud avec la semoule de couscous.

POUR 4 À 6 PERSONNES • PRÉPARATION 15 MIN • CUISSON 2 H • NIVEAU 1

8 Mijoté d'agneau
aux haricots, aux olives et aux pâtes

- 4 jarrets d'agneau
- 2 gousses d'ail ciselées
- 1 oignon ciselé
- 500 ml de bouillon de bœuf
- 4 tiges d'origan
- 2 cuil. à soupe de concentré de tomate
- 125 g de pâtes risoni
- 200 g de haricots de Lima en boîte égouttés
- 50 g d'olives noires
- 2 cuil. à café d'origan finement ciselé
- 2 cuil. à soupe d'huile d'olive
- Sel, poivre noir du moulin

Versez de l'huile dans une grande sauteuse posée sur feu modéré. Faites-y dorer les jarrets avec l'ail et l'oignon pendant 5 min. Ajoutez le bouillon de bœuf, l'origan, le concentré de tomate et 250 ml d'eau. Portez à ébullition. Réduisez le feu, couvrez et laissez mijoter pendant 1 h 30, jusqu'à ce que la viande soit tendre et bien cuite. Retirez les jarrets de la sauteuse et découpez-les en tranches. Réservez.

Dans la sauteuse, versez en pluie les pâtes avec 250 ml d'eau. Faites-les cuire 5 min, pour une cuisson *al dente*. Ajoutez les haricots, les olives, la viande et l'origan. Salez et poivrez. Réchauffez le tout pendant 5 min. Servez chaud.

POUR 4 À 6 PERSONNES • PRÉPARATION 15 MIN • CUISSON 2 H • NIVEAU 2

9 Bœuf braisé à la toscane

- 1 gousse d'ail ciselée
- 1 cuil. à soupe feuilles de romarin ciselées
- 1 kg macreuse de bœuf
- 2 oignons grossièrement ciselés
- 2 carottes grossièrement émincées
- 1 branche de céleri grossièrement émincée
- 1 cuil. à soupe de persil ciselé
- 3 feuilles de sauge déchiquetées
- 2 feuilles de laurier
- 200 ml de vin rouge
- 450 g de tomates mondées et concassées
- 500 ml de bouillon de bœuf
- Pommes de terre à l'eau coupées en rondelles ou riz, pour accompagner
- 90 ml d'huile d'olive
- Sel, poivre noir du moulin

Mélangez l'ail et le romarin avec une généreuse quantité de sel et de poivre. À l'aide d'un couteau aiguisé, faites plusieurs entailles dans la viande et fourrez-la de ce mélange. Maintenez la viande à l'aide de ficelle de cuisine.

Faites chauffer l'huile dans une cocotte, de feu modéré à vif, et faites-y dorer la viande sur toutes ses faces. Ajoutez les oignons, les carottes, le céleri, le persil, la sauge et les feuilles de laurier, puis faites rissoler le tout quelques minutes.

Salez et poivrez, puis mouillez le tout avec le vin. Une fois le vin évaporé, ajoutez les tomates, couvrez partiellement et laissez mijoter, de feu modéré à doux, pendant 2 h 30. Tournez la viande de temps en temps, en ajoutant progressivement le bouillon pour éviter que la sauce ne soit trop épaisse. Transférez la viande cuite sur un plat de service chaud, et coupez-la. Arrosez de sauce et de jus de cuisson. Servez chaud avec des pommes de terre ou du riz.

POUR 4 À 6 PERSONNES • PRÉPARATION 20 MIN • CUISSON 3 H • NIVEAU 2

Dans ce plat traditionnel de Toscane, le bœuf est lentement braisé dans le vin rouge et le bouillon. Après 3 h de cuisson, la viande est extrêmement tendre. S'il reste de la viande, vous pouvez la hacher finement, la mélanger à la sauce et la servir le lendemain avec des pâtes fraîches comme des tagliatelles ou des tortellinis.

10 Mijoté de bœuf aux légumes

- 1 oignon coupé en dés
- 1 carotte coupée en dés
- 1 poireau coupé en dés
- 2 branches de céleri coupées en dés
- 2 gousses d'ail écrasées
- 90 g de champignons émincés
- 750 g de bœuf à braiser coupé en cubes
- 2 cuil. à soupe de farine
- 3 tiges de thym
- 750 ml de bouillon de bœuf
- 2 cuil. à soupe de concentré de tomate
- Quelques gouttes de Worcestershire sauce
- 4 grosses pommes de terre coupées en quatre
- 3 cuil. à soupe d'huile végétale
- Sel, poivre noir du moulin

Dans une grande sauteuse, faites chauffer 2 cuil. à soupe d'huile à feu modéré. Ajoutez l'oignon, la carotte, le poireau, le céleri et l'ail. Laissez mijoter 5 min, en veillant à ce que cela ne brûle pas. Ajoutez les champignons et laissez mijoter 5 min de plus, puis ôtez le tout de la sauteuse.

Dans la sauteuse, faites chauffer la cuillerée à soupe d'huile restante à feu vif. Ajoutez le bœuf et faites-le dorer sur toutes les faces pendant 5 à 10 min. Saupoudrez de farine et mélangez bien. Remettez les légumes dans la sauteuse, puis ajoutez le thym, le bouillon, le concentré de tomate et la Worcestershire sauce. Salez et poivrez. Couvrez et laissez mijoter pendant 1 h. Ensuite, ajoutez les pommes de terre. Poursuivez la cuisson 1 h, jusqu'à ce que la viande soit bien tendre. Servez chaud.

POUR 4 À 6 PERSONNES • PRÉPARATION 15 MIN • CUISSON 2 H 15 • NIVEAU 2

11 Mijoté fermier

- 2 gousses d'ail, 1 oignon, 1 carotte, 1 branche de céleri, le tout émincé
- 4 tomates mondées et concassées
- 1 cuil. à soupe d'herbes mélangées (sauge, persil, origan, romarin, thym) ciselées
- 750 g de macreuse à pot-au-feu coupée en petits morceaux
- 250 ml de vin rouge
- 500 ml de bouillon de bœuf
- 600 g de pommes de terre épluchées et coupées en petits morceaux
- 90 ml d'huile d'olive
- Sel, poivre noir du moulin

Faites chauffer l'huile dans une grande cocotte à feu modéré. Faites-y rissoler les herbes et tous les légumes pendant 5 min, jusqu'à ce qu'ils soient fondants.

Dégraissez la viande à l'aide d'un couteau aiguisé. Mettez la viande dans la cocotte, salez et poivrez. Faites-la bien dorer. Arrosez de vin et laissez cuire jusqu'à évaporation. Couvrez et laissez mijoter pendant 2 h, en ajoutant progressivement le bouillon. Mélangez régulièrement pour éviter que la viande n'attache. Ajoutez les pommes de terre et laissez mijoter de 30 à 45 min, jusqu'à ce qu'elles soient tendres. Servez chaud.

POUR 4 À 6 PERSONNES • PRÉPARATION 15 MIN • CUISSON 2 H 45 • NIVEAU 1

12 Mijoté d'agneau au romarin,
à l'ail et aux petits pois

- 2 gousses d'ail ciselées
- 1 cuil. à soupe de feuilles de romarin ciselées + un peu pour garnir
- 60 g de lardons
- 1,2 kg d'épaule d'agneau coupée en morceau + l'os
- 120 ml de vin blanc sec
- 3 belles tomates mondées et grossièrement émincées
- 500 g de petits pois frais ou surgelés
- Riz nature, pour accompagner
- 90 ml d'huile d'olive
- Sel, poivre noir du moulin

Dans une sauteuse, faites rissoler l'ail, le romarin et les lardons dans l'huile, à feu modéré, pendant 4 à 5 min. Ajoutez la viande, salez et poivrez.
Mouillez avec le vin et laissez cuire jusqu'à évaporation.

Ajoutez les tomates et couvrez partiellement. Laissez cuire 1 h à feu doux, en remuant de temps en temps. Retirez l'agneau de la sauteuse et réservez-le dans un four chaud. Ajoutez les petits pois et faites-les cuire brièvement dans la sauce. Remettez la viande dans la sauteuse et laissez mijoter 45 min de plus.

Servez chaud garni de romarin, sur un lit de riz.

POUR 6 PERSONNES • PRÉPARATION 15 MIN • CUISSON 2 H • NIVEAU 2

Pour colorer votre plat, réservez une poignée de petits pois et ajoutez-les 5 min avant la fin de la cuisson.

13 Agneau épicé
de quatre heures

- 1 gigot d'agneau à l'os de 2,5 kg
- 150 g de beurre ramolli
- 2 gousses d'ail ciselées
- 1½ cuil. à soupe de paprika
- 1 cuil. à soupe de cumin moulu
- 2 cuil. à café de coriandre moulue
- 1 cuil. à café de cannelle moulue
- 1 cuil. à café de sel
- 1 cuil. à café de poivre noir du moulin
- ½ cuil. à café de piment de Cayenne

Préchauffez le four à 220 °C (th. 7-8). Pratiquez de petites entailles dans le gigot. Mélangez le beurre, l'ail, le paprika, le cumin, la coriandre, la cannelle, le sel, le poivre noir et le piment de Cayenne dans un bol. Passez le beurre épicé sur le gigot, en insistant sur les entailles pour bien le faire pénétrer.

Placez le gigot dans un grand plat allant au four et arrosez-le d'eau (250 ml). Laissez-le cuire en haut du four pendant 20 min. Ensuite, descendez le plat d'un niveau pour le placer au milieu du four et réduisez la température à 150 °C (th. 5). Poursuivez la cuisson pendant 4 h, jusqu'à ce que la viande se détache de l'os. Arrosez de jus de cuisson toutes les 15 min pour éviter que le gigot ne se dessèche. Retirez du four, couvrez avec une feuille de papier d'aluminium et laissez reposer 15 min. Servez chaud.

POUR 6 PERSONNES • PRÉPARATION 15 MIN • CUISSON 4 H 30 • NIVEAU 1

14 Bœuf braisé au barolo

- 1,5 kg de rôti de bœuf sans os, de la macreuse de préférence
- 1 oignon émincé
- 1 carotte émincée
- 1 branche de céleri émincée
- 2 feuilles de laurier
- 1 cuil. à café de grains de poivre
- 750 ml de vin italien barolo (ou autre vin rouge corsé, type bourgogne)
- 15 g de beurre
- Purée de pommes de terre à l'ail (voir page 136), pour accompagner
- 90 ml d'huile d'olive
- Sel

Dans un saladier, mettez la viande avec l'oignon, la carotte, le céleri, les feuilles de laurier et le poivre. Recouvrez de vin et laissez mariner 24 h au réfrigérateur. Égouttez en veillant à réserver la marinade ; filtrez le vin.

Maintenez fermement la viande à l'aide de ficelle de cuisine. Dans une sauteuse adaptée à la taille du rôti, faites chauffer l'huile et le beurre à feu modéré. Déposez-y la viande, salez, et faites dorer sur tous les côtés. Arrosez le rôti avec la moitié du vin, couvrez et laissez mijoter 2 h. Découpez la viande et présentez-la sur un plat de service. Arrosez de sauce et servez chaud, avec de la purée de pommes de terre à l'ail.

POUR 6 PERSONNES • PRÉPARATION 15 MIN + 24 H POUR LA MARINADE • CUISSON 2 H • NIVEAU 1

15 Gigot d'agneau
aux herbes aromatiques

- 3 tranches de pain de mie
- 4 gousses d'ail ciselées
- Mélange d'herbes aromatiques : 4 feuilles de sauge, 1 tige de romarin, 1 tige de thym, 1 tige de marjolaine, 1 beau bouquet de persil
- 30 g de beurre
- 1 gigot d'agneau de 1 kg
- 150 ml de vin blanc sec
- 750 g de pommes de terre épluchées
- 60 ml d'huile d'olive
- Sel, poivre noir du moulin

Ôtez la croûte du pain de mie et mixez-le dans un robot ménager avec l'ail et les herbes aromatiques (les feuilles seulement). Salez et poivrez généreusement.

Mettez le beurre dans un plat allant au four et enfournez pour quelques minutes à 190 °C (th. 6-7), jusqu'à ce que le beurre fonde.

Mettez le gigot dans le plat, arrosez-le d'huile et parsemez du mélange de pain et d'herbes. Enfournez pour 2 h. Ajoutez les pommes de terre en milieu de cuisson. Arrosez régulièrement le gigot de vin. Transférez dans un plat de service chauffé et servez chaud.

POUR 6 PERSONNES • PRÉPARATION 15 MIN • CUISSON 2 H • NIVEAU 1

Vous pouvez varier les herbes en fonction de vos goûts ou de ce que vous avez sous la main.

16 Tajine de poulet
aux poires et à la cannelle

- 60 g de beurre
- 4 poires fermes et mûres épluchées, épépinées et coupées en quatre
- ¼ de cuil. à café de cardamome moulue
- 4 cuil. à soupe de miel
- 2 oignons ciselés
- 4 escalopes de poulet
- 1 pincée de safran
- 2 cuil. à café de gingembre râpé
- 1 bâton de cannelle
- 50 g de raisins secs
- Coriandre fraîche
- 2 cuil. à soupe de jus de citron
- 4 lanières de zeste d'orange
- 3 tranches d'orange coupées en deux
- Le jus de 2 oranges
- 2 cuil. à soupe d'amandes
- 4 cuil. à soupe d'huile végétale
- Sel, poivre noir du moulin

Faites fondre le beurre dans une grande casserole à feu modéré. Faites-y revenir les poires pendant 2 min. Saupoudrez de cardamome. Ajoutez le miel et retournez délicatement les poires pour qu'elles caramélisent. Retirez du feu et réservez.

Versez l'huile dans la casserole et faites-y dorer les oignons à feu doux, pendant 10 min. Ajoutez le poulet, le safran et le gingembre. Salez et poivrez. Saisissez de feu modéré à vif pendant 2 à 3 min. Ajoutez le bâton de cannelle, les raisins secs, un peu de coriandre, le jus de citron et 250 ml d'eau. Portez à ébullition, couvrez et laissez mijoter 1 h, jusqu'à ce que le poulet soit très tendre. Mettez les poires dans la casserole, ajoutez le zeste, les tranches et le jus d'orange. Laissez mijoter 15 min. Parsemez d'amandes et servez chaud.

POUR 4 PERSONNES • PRÉPARATION 15 MIN • CUISSON 1 H 30 • NIVEAU 2

17 Tajine d'agneau
aux raisins secs, au miel et aux amandes

- 45 g de beurre
- 2 cuil. à café de gingembre râpé
- ½ cuil. à café de safran moulu
- 3 oignons (1 finement râpé et 2 grossièrement émincés)
- 3 gousses d'ail ciselées
- 1,2 kg d'agneau coupé en morceaux
- 1 cuil. à soupe de miel
- 150 g de raisins secs
- 100 g d'abricots secs
- Le jus de 1 citron
- 1 bâton de cannelle
- 30 g d'amandes effilées toastées, pour garnir
- Coriandre fraîche
- Semoule de couscous, pour accompagner
- 4 cuil. à soupe d'huile de tournesol
- Sel, poivre blanc du moulin

Dans une sauteuse, faites chauffer l'huile et le beurre de feu modéré à vif. Faites-y revenir le gingembre, du sel, du poivre, le safran, l'oignon râpé et l'ail pendant 30 s.

Ajoutez la viande, les oignons émincés et le miel, puis recouvrez d'eau. Couvrez et laissez mijoter à feu doux jusqu'à ce que la viande soit presque tendre, soit 1 h 30. Après 45 min de cuisson, faites tremper les raisins secs et les abricots dans 200 ml de jus de cuisson, le jus de citron et un peu d'eau chaude. Laissez gonfler pendant 30 min.

Ajoutez le mélange de fruits et la cannelle à la viande. Couvrez et laissez mijoter jusqu'à ce que la viande soit tendre à cœur. Parsemez d'amandes et de coriandre. Servez avec de la semoule de couscous.

POUR 4 PERSONNES • PRÉPARATION 20 MIN • CUISSON 2 H • NIVEAU 2

18 Roulade de veau
aux pommes de terre

- 500 g de tranche de veau, du gîte à la noix de préférence
- 1 truffe noire finement émincée
- 2 cuil. à soupe de pistaches
- 30 g de poitrine fumée hachée
- 1 gousse d'ail ciselée
- 2 tiges de romarin
- 60 g de beurre
- 4 cuil. à soupe de vin blanc sec
- 500 g de pommes de terre épluchées et coupées en petits morceaux
- 60 ml d'huile d'olive
- Sel, poivre noir du moulin

Préchauffez le four à 190 °C (th. 6-7). Placez la tranche de veau sur un plan de travail plat. À l'aide d'un couteau aiguisé, coupez les extrémités de manière à obtenir un rectangle. Attendrissez légèrement à l'aide d'un pilon ou du fond d'une casserole, en veillant à ne pas casser la viande.

Parsemez de truffe, de pistaches, de poitrine fumée, d'ail. Salez et poivrez.

Enroulez la tranche de veau dans le sens de la viande. Maintenez le tout à l'aide de fil de cuisine. Insérez le romarin sous le fil de cuisine, dans la partie longue du roulé. Mettez la roulade dans un plat allant au four, avec l'huile et le beurre. Enfournez. Retournez régulièrement en cours de cuisson, en arrosant avec le vin et le jus de cuisson.

Après 1 h 15 de cuisson, ajoutez les pommes de terre en les arrosant généreusement de jus de cuisson. Poursuivez la cuisson pendant 45 min, jusqu'à ce que les pommes de terre soient dorées et que la viande soit bien tendre. Servez chaud.

POUR 4 PERSONNES • PRÉPARATION 15 MIN • CUISSON 2 H • NIVEAU 2

19 Mijoté de chevreuil

- 750 g de chevreuil coupé en petits morceaux
- 90 g de lardons
- 1 gousse d'ail ciselée
- 2 oignons rouges ciselés
- 2 belles carottes émincées
- 2 tomates fermes et mûres grossièrement émincées
- 125 ml de vin rouge
- 1 tige de romarin
- 1 feuille de laurier
- 300 g de châtaignes en boîte
- Polenta, pour accompagner
- 2 cuil. à soupe d'huile d'olive

Préchauffez le four à 150 °C (th. 5). Dans une cocotte allant au four, faites chauffer l'huile de feu modéré à vif. Faites-y légèrement dorer la viande et les lardons pendant 5 à 8 min.

Ajoutez l'ail, les oignons, les carottes et les tomates. Versez le vin et 250 ml d'eau, puis portez à ébullition. Ajoutez le romarin et le laurier. Couvrez et enfournez pour 1 h.

Ajoutez les châtaignes et poursuivez la cuisson au four pendant 1 h, jusqu'à ce que la viande soit très tendre. Ajoutez de l'eau si la sauce devient trop épaisse. Servez chaud sur un lit de polenta.

POUR 4 À 6 PERSONNES • PRÉPARATION 15 MIN • CUISSON 2 H 15 • NIVEAU 2

20 Cocotte d'agneau
aux pommes de terre

- 1 kg d'épaule d'agneau coupée en petits morceaux
- 1 kg de pommes de terre à chair ferme coupées en rondelles épaisses
- 4 belles tomates coupées en quatre
- 1 oignon émincé
- 1 cuil. à café d'origan séché
- Feuilles d'une petite tige de romarin
- 4 cuil. à soupe d'huile d'olive
- Sel, poivre noir du moulin

Préchauffez le four à 200 °C (th. 6-7). Dans une cocotte allant au four, mélangez la viande, les pommes de terre, les tomates et l'oignon. Arrosez d'huile, salez légèrement et poivrez généreusement. Parsemez d'origan et de romarin.

Couvrez et enfournez pour 2 h, jusqu'à ce que la viande soit tendre. Arrosez régulièrement avec un peu d'eau bouillante (250 ml). Servez chaud.

POUR 4 À 6 PERSONNES • PRÉPARATION 15 MIN • CUISSON 2 H • NIVEAU 1

1
Salade thaïlandaise au poulet

2
Salade thaïlandaise au bœuf

3
Curry de dinde à la mangue

4
Hamburgers de bœuf épicés

5
Hamburgers d'agneau épicés

6
Agneau korma

7
Beignets de poulet épicés

8
Boulettes de viande épicées

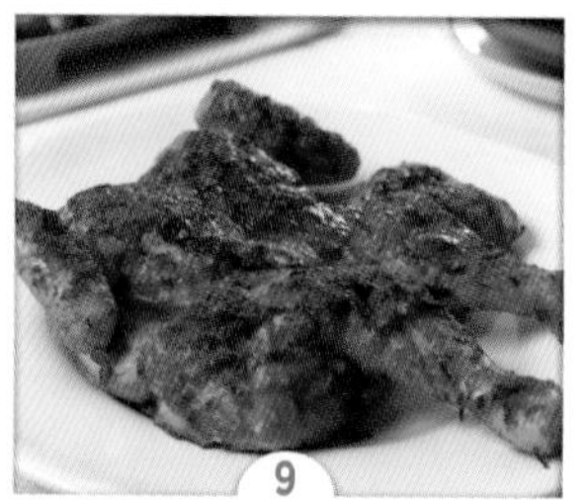
9
Poulet barbecue piri-piri

10
Poulet tex-mex

11
Poulet à la sauce barbecue

12
Curry de bœuf au pamplemousse

13
Poulet à la sichuanaise

14
Poulet cajun

Recettes épicées

15
Peposo de jarret de veau au poivre

16
Sauté de poulet à l'ananas

17
Sauté de poulet aux noix

18
Mijoté d'agneau épicé

19
Curry d'agneau

20
Curry de porc

1 Salade thaïlandaise
au poulet

- 2 brins de citronnelle émincés
- 2 piments rouges épépinés
- 3 gousses d'ail
- 1 petit morceau de gingembre frais
- 4 escalopes de poulet
- 1 cuil. à café de piment en poudre
- 3 cuil. à soupe de sauce de poisson thaïe
- 1 oignon rouge émincé
- 3 cuil. à soupe de jus de citron vert
- 2 cuil. à soupe de menthe, de coriandre et de basilic ciselés
- 2 petites romaines, feuilles séparées
- 1 concombre coupé en dés
- 100 g de pousses de soja
- Quartiers de citron vert, pour garnir
- 2 cuil. à soupe d'huile de sésame

Dans un robot ménager, hachez la citronnelle, les piments, l'ail et le gingembre. Réservez. Ensuite, hachez grossièrement les escalopes.

Dans un wok, faites chauffer l'huile de sésame à feu vif. Faites-y rissoler le mélange à base de citronnelle pendant 2 min. Ajoutez le poulet, le piment en poudre et faites rissoler 4 min. Versez la sauce de poisson. Laissez mijoter, à feu modéré, pendant 4 à 5 min en remuant régulièrement. Ajoutez l'oignon et poursuivez la cuisson pendant 2 min. Retirez du feu.

Arrosez de jus de citron vert. Ajoutez le basilic, la menthe, la coriandre, la salade, le concombre et les pousses de soja, puis mélangez bien. Servez chaud garni de quartiers de citron vert.

POUR 4 À 6 PERSONNES • PRÉPARATION 20 MIN • CUISSON 15 MIN • NIVEAU 1

2 Salade thaïlandaise au bœuf

- 3 cuil. à soupe de jus de citron vert
- 2 cuil. à soupe de sauce de poisson thaïe
- 1 cuil. à soupe de cassonade
- 2 cuil. à café de pâte de curry thaïe rouge (en épicerie exotique)
- 1 gousse d'ail ciselée
- 500 g de rumsteak, de filet ou d'aloyau
- 150 g de salade frisée
- 1 concombre émincé
- 20 tomates cerise coupées en deux
- 2 gros piments rouges épépinés et émincés
- Quelques feuilles de menthe, de coriandre et de basilic
- 75 g de pousses de soja
- 40 g de cacahuètes grillées
- 3 cuil. à soupe d'huile d'arachide

Mélangez le jus de citron vert, la sauce de poisson, la cassonade, la pâte de curry, l'ail et 1 cuil. à soupe d'huile dans un petit saladier. Ajoutez la viande et mélangez pour bien imprégner le tout. Couvrez avec une feuille de film alimentaire et laissez mariner 2 h au réfrigérateur.

Préchauffez une grande poêle à feu vif et ajoutez les 2 cuil. à soupe d'huile restantes. Égouttez la viande et laissez-la dorer de 2 à 3 min de chaque côté. Réservez et laissez reposer 5 min.

Dans un saladier, mélangez la frisée, le concombre, les tomates, les piments, la menthe, la coriandre et le basilic. Découpez la viande en tranches fines et ajoutez-les à la salade. Arrosez avec la marinade, parsemez de pousses de soja et de cacahuètes. Servez.

POUR 4 PERSONNES • PRÉPARATION 20 MIN + 2 H POUR LA MARINADE • CUISSON 4 À 6 MIN • NIVEAU 1

3 Curry de dinde à la mangue

- 750 g de poitrine de dinde coupée en cubes
- 180 ml de lait de coco
- 2 cuil. à café de sucre en poudre
- 3 cuil à café de sauce soja
- 2 cuil. à café de Worcestershire sauce
- 2 petites mangues dénoyautées et émincées
- Feuilles de coriandre, pour garnir
- Riz au jasmin

Pâte de curry

- 4 piments épépinés et émincés
- 2 blancs de poireaux émincés
- 6 gousses d'ail ciselées
- 1 bouquet de racines de coriandre émincées
- Le zeste de 2 citrons verts, partie verte seulement
- 2 cuil. à café de graines de cumin
- 2 cuil. à café de sauce de poisson thaïe
- 2 cuil. à soupe d'huile d'arachide

Préparez la pâte de curry. Dans un robot ménager, mixez les piments, les poireaux, l'ail, la coriandre, le zeste de citron vert, le cumin et la sauce de poisson jusqu'à l'obtention d'une pâte homogène.

Faites chauffer l'huile dans une sauteuse posée sur feu vif et ajoutez 1½ cuil. à soupe de pâte de curry. Laissez rissoler 2 min.

Ajoutez la viande, le lait de coco, le sucre, la sauce de soja et la Worcestershire sauce. Mélangez bien et portez à ébullition. Réduisez le feu et laissez mijoter 45 min, jusqu'à ce que la viande soit tendre.

Ajoutez la mangue et poursuivez la cuisson 2 min. Servez chaud avec le riz, garni de coriandre.

POUR 4 À 6 PERSONNES • PRÉPARATION 15 MIN • CUISSON 55 MIN • NIVEAU 1

Dans cette recette, vous pouvez remplacer la dinde par du poulet. N'hésitez pas à doser le piment en fonction de vos goûts.

4 Hamburgers de bœuf épicés

- 2 petits oignons rouges
- 2 gousses d'ail ciselées
- 2 petits piments rouges épépinés et émincés
- 1 cuil. à soupe de paprika
- 2 cuil. à café de cumin moulu
- 1 cuil. à café de safran moulu
- 600 g de bœuf haché
- 50 g de chapelure fine
- 3 cuil. à soupe de persil ciselé
- 1 gros œuf légèrement battu
- 4 tranches de cheddar
- 4 petits pains ronds à hamburger coupés en deux
- Feuilles de laitue déchirées
- 2 tomates coupées en rondelles
- Sauce barbecue
- 4 cuil. à soupe d'huile d'olive
- Sel, poivre noir du moulin

Dans une poêle, faites chauffer 2 cuil. à soupe d'huile à feu modéré. Faites-y fondre 1 oignon préalablement râpé, l'ail et les piments pendant 3 à 4 min. Ajoutez le paprika, le cumin, le safran, du sel et du poivre. Laissez refroidir. Dans un robot ménagez, mixez la viande, la chapelure, le persil, l'œuf et le mélange d'oignon. Formez 4 pavés.

Préchauffez une poêle à frire à feu vif. Versez les 2 cuil. à soupe d'huile restantes et faites dorer la viande 2 à 3 min de chaque côté. Déposez une tranche de fromage sur chaque pavé de viande et laissez-la fondre doucement.

Recouvrez la moitié inférieure du pain avec de la laitue, de la tomate et de l'oignon coupé en rondelles. Déposez le pavé de viande, arrosez de sauce barbecue et refermez avec la moitié supérieure du petit pain. Servez chaud.

POUR 4 PERSONNES • PRÉPARATION 15 MIN • CUISSON 8 À 10 MIN • NIVEAU 1

5 Hamburgers d'agneau
épicés

- 2 petits oignons rouges
- 2 gousses d'ail ciselées
- 2 gros piments rouges épépinés et émincés
- 2 cuil. à soupe de coriandre ciselée
- 600 g d'agneau haché
- 75 g de chapelure
- 1 gros œuf légèrement battu
- 1 cuil. à café de cumin moulu
- 1 cuil. à café de coriandre moulue
- 1 cuil. à café de sel
- ½ cuil. à café de cannelle moulue
- ¼ de cuil. à café de poivre noir du moulin
- 4 petits pains ronds à hamburger
- 75 g de salade frisée
- 120 ml de ketchup
- 2 tomates coupées en dés
- 2 cuil. à soupe d'huile d'olive

Dans un robot ménager, mixez 1 oignon émincé, l'ail, les piments et la coriandre jusqu'à l'obtention d'une pâte. Ajoutez la viande, la chapelure, l'œuf, le cumin, la coriandre moulue, le sel, la cannelle et le poivre. Mélangez bien le tout. Transférez le mélange dans un saladier. Ensuite, confectionnez 4 pavés. Couvrez et laissez 1 h au réfrigérateur.

Préchauffez une poêle-gril ou le barbecue à moyenne température. Arrosez d'huile et faites cuire la viande 3 à 4 min de chaque côté. Faites légèrement toaster le pain.

Déposez une feuille de salade et de l'oignon en rondelles sur la moitié inférieure du pain. Déposez la viande, 1 cuil. de ketchup et les dés de tomates. Fermez avec la moitié supérieure du pain et servez chaud.

POUR 4 PERSONNES • PRÉPARATION 15 MIN + 1 H POUR LA MARINADE • CUISSON 6 À 8 MIN • NIVEAU 1

6 Agneau korma

- 600 g de gigot d'agneau coupé en cubes
- 2 oignons émincés
- ½ cuil. à soupe de gingembre râpé
- 1 gousse d'ail ciselée
- 1 cuil. à café de piment en poudre
- ½ cuil. à café de filaments de safran trempés dans 60 ml d'eau chaude
- 120 g de noix de cajou mixées avec 2 cuil. à soupe d'eau
- 1 bâton de cannelle
- 250 ml de yaourt nature
- 2 tomates coupées en quatre
- Riz basmati
- Coriandre fraîche
- 2 cuil. à soupe d'huile végétale
- Sel

Mélange d'épices

- 10 clous de girofle
- 4 gousses de cardamome
- 1 bâton de cannelle
- 4 piments rouges séchés
- 4 cuil. à soupe de graines de coriandre
- 2 cuil. à soupe de graines de cumin
- 1 cuil. à café de graines de fenouil
- 1 étoile de badiane (anis étoilé)
- 1 cuil. à café de safran en poudre
- 10 grains de poivre noir

Préparez le mélange d'épices. Faites légèrement poêler les épices à sec (sauf le safran) pendant 30 s, de sorte qu'elles libèrent leurs parfums. Laissez refroidir légèrement. Réduisez en poudre les épices et le safran à l'aide d'un pilon dans un mortier.

Faites chauffer 1 cuil. à soupe d'huile dans un wok posé sur feu vif et faites-y dorer la viande pendant 3 à 5 min. Retirez la viande et réservez.

Faites chauffer 1 cuil. à soupe d'huile dans le wok et faites rissoler les oignons, le gingembre, l'ail, la poudre d'épices et de piment, jusqu'à ce qu'ils libèrent leurs parfums, pendant 1 à 2 min.

Remettez l'agneau dans le wok, salez et mélangez bien le tout. Ajoutez le safran et l'eau de trempage, la pâte de noix de cajou et le bâton de cannelle. Couvrez d'eau. Portez à ébullition, couvrez et laissez mijoter à feu doux, en remuant de temps en temps, jusqu'à ce que la viande soit tendre, pendant 1 h 30. Ajoutez de l'eau si la sauce devient trop épaisse.

Incorporez le yaourt et les tomates. Laissez mijoter de 1 à 2 min. Servez chaud avec le riz, garni de coriandre.

POUR 4 PERSONNES • PRÉPARATION 30 MIN • CUISSON 2 H • NIVEAU 2

7 Beignets de poulet épicés

- 2 tranches de pain de mie sans la croûte
- 60 ml de lait
- 600 g de poulet émincé
- 1 gros œuf légèrement battu
- 1 à 2 cuil. à soupe de paprika
- 75 g de farine
- Le jus de ½ citron
- 250 ml d'huile végétale, pour la cuisson
- Sel, poivre noir du moulin

Dans un bol, faites tremper le pain dans le lait pendant 5 min. Égouttez le pain et pressez-le contre le rebord du bol. Dans un saladier, mélangez le poulet, le pain et l'œuf. Salez, poivrez et ajoutez le paprika. Formez de petits beignets ronds à la main, puis roulez-les dans la farine.

Dans une grande sauteuse, faites chauffer l'huile à très haute température. Faites-y dorer les beignets pendant 5 min, en plusieurs fois. Laissez-les égoutter sur du papier absorbant. Arrosez de jus de citron et servez chaud.

POUR 4 PERSONNES • PRÉPARATION 20 MIN • CUISSON 10 À 15 MIN • NIVEAU 1

8 Boulettes de viande épicées

- 600 g de viande de porc hachée
- 50 g de chapelure
- 2 gros œufs légèrement battus
- 2 cuil. à soupe de persil ciselé
- 3 gousses d'ail ciselées
- 1 cuil. à café de paprika
- 50 g de pignons de pin
- ½ cuil. à café de cannelle moulue
- ½ cuil. à café de noix muscade moulue
- Riz basmati, pour accompagner
- 120 ml d'huile végétale, pour la cuisson
- Sel, poivre noir du moulin

Dans un saladier, mélangez la viande, la chapelure, les œufs, le persil, l'ail, le paprika, les pignons de pin, du sel, du poivre, la cannelle et la noix muscade. Formez de petits beignets ronds à la main.

Dans une grande sauteuse, faites chauffer l'huile à très haute température. Faites-y dorer les beignets pendant 5 min, en plusieurs fois. Laissez égoutter sur du papier absorbant. Servez chaud avec du riz.

POUR 4 PERSONNES • PRÉPARATION 15 MIN • CUISSON 10 À 15 MIN • NIVEAU 1

9 Poulet barbecue piri-piri

- 1 poulet de 2 kg
- Mesclun, pour accompagner
- Quartiers de citron, pour servir

Marinade

- 120 ml d'huile d'olive
- 90 ml de jus de citron
- 6 petits piments rouges (piri-piri)
- 3 gousses d'ail grossièrement émincées
- 1 cuil. à soupe de gingembre ciselé
- 1 cuil. à café de paprika doux
- 1 cuil. à café de sel
- 4 cuil. à soupe de persil ciselé

Préparez la marinade. Dans une petite casserole, mettez tous les ingrédients (sauf le persil) à feu modéré. Portez le mélange à ébullition et laissez mijoter 2 min. Laissez refroidir et versez dans un robot ménager. Mixez, transférez dans un saladier et ajoutez le persil.

Posez le poulet sur le ventre, sur une planche à découper. Retirez la colonne vertébrale à l'aide d'un couteau aiguisé ou de ciseaux de cuisine. Lavez-le sous l'eau froide et essuyez-le avec du papier absorbant. Ouvrez en deux le poulet. Piquez 2 brochettes en métal dans la partie la plus charnue du blanc jusqu'aux cuisses. Cela maintiendra le poulet en place. Piquez les parties les plus charnues des pattes pour assurer une cuisson homogène.

Recouvrez le poulet de marinade, couvrez et laissez mariner au réfrigérateur pendant au moins 4 h.

Préchauffez une poêle-gril ou le barbecue à haute température. Faites cuire le poulet pendant 15 à 20 min, jusqu'à ce que le jus de la partie la plus charnue des cuisses soit clair. Arrosez de marinade en cours de cuisson pour éviter que le poulet ne se dessèche. Retirez les brochettes et servez chaud, avec du mesclun et des quartiers de citron.

POUR 4 PERSONNES • PRÉPARATION 15 MIN + 4 H POUR LA MARINADE • CUISSON 15 À 20 MIN • NIVEAU 1

Le poulet piri-piri est un plat portugais originaire du Mozambique, une ancienne colonie portugaise, où l'on cultive les piments piri-piri. Vous pouvez remplacer le piri-piri par n'importe quel petit piment rouge très fort.

10 Poulet tex-mex

- 8 petits piments rouges épépinés et émincés
- 2 cuil. à soupe de pâte de piment (en épicerie exotique)
- 15 grosses gousses d'ail pelées et grossièrement ciselées
- 1 cuil. à café de sel
- Le jus de 2 ou 3 citrons verts
- 3 cuil. à soupe de coriandre ciselée
- 10 pilons de poulet
- 250 ml d'huile d'olive

Dans un robot ménager, mixez les piments et la pâte de piment jusqu'à l'obtention d'un mélange homogène. Faites chauffer l'huile dans une casserole à feu doux. Faites-y mijoter l'ail et le mélange au piment à feu très doux, pendant 35 à 40 min, jusqu'à ce que l'ail soit fondant, mais non brûlé. Ajoutez le sel, le jus de citron vert et la coriandre.

Versez la marinade dans un saladier en verre ou en acier inoxydable. Ajoutez le poulet et laissez mariner pendant 6 à 8 h.

Préchauffez une poêle-gril ou le barbecue à haute température. Égouttez le poulet et faites-le cuire de 15 à 20 min, jusqu'à ce que la viande soit tendre. Servez chaud.

POUR 4 PERSONNES • PRÉPARATION 15 MIN + 6 À 8 H POUR LA MARINADE • CUISSON 15 À 20 MIN • NIVEAU 1

11 Poulet à la sauce barbecue

- 8 pilons de poulet
- 1 gousse d'ail ciselée
- 1 cuil. à soupe de paprika doux
- 2 cuil. à café de cumin moulu
- 1 cuil. à café de piment en poudre
- Crème fraîche
- 2 cuil. à soupe d'huile de sésame
- Sel, poivre noir du moulin

Sauce barbecue

- 300 g de maïs
- 2 cuil. à café d'huile de sésame
- 1 tomate coupée en dés
- 1 avocat coupé en dés
- ½ oignon rouge ciselé
- 25 g de feuilles de coriandre
- 1 piment rouge ciselé
- 2 cuil. à soupe de jus de citron vert
- Sel, poivre noir du moulin

Entaillez les pilons de poulet à l'aide d'un couteau aiguisé. Mélangez l'huile, l'ail, le paprika, le cumin et le piment en poudre dans un bol. Retournez-y les pilons de poulet de manière à bien les enrober. Salez et poivrez. Couvrez et laissez mariner toute une nuit au réfrigérateur.

Préparez la sauce barbecue. Mélangez le maïs, l'huile, la tomate, l'avocat, l'oignon, la coriandre, le piment, le jus de citron vert, du sel et du poivre dans un petit saladier.

Préchauffez une poêle-gril ou le barbecue à haute température. Faites cuire les pilons de poulet pendant 10 à 15 min, jusqu'à ce qu'ils soient bien dorés et cuits à cœur. Servez chaud avec de la sauce barbecue et de la crème fraîche.

POUR 4 PERSONNES • PRÉPARATION 20 MIN + 12 H POUR LA MARINADE • CUISSON 10 À 15 MIN • NIVEAU 1

12 Curry de bœuf
au pamplemousse

- 10 clous de girofle
- 10 gousses de cardamome légèrement pilées
- 2 oignons finement émincés
- 8 gousses d'ail écrasées
- 1 cuil. à soupe de gingembre finement râpé
- 1 cuil. à café de poudre de safran
- 3 cuil. à café de piment en poudre
- 4 cuil. à café de cumin moulu
- 4 cuil. à café de coriandre moulue
- 1,5 kg de macreuse de bœuf coupée en petits cubes
- 3 cuil. à soupe de ketchup
- 100 g de ghee (beurre clarifié)
- 1 pamplemousse
- 4 cuil. à soupe d'huile végétale
- Sel, poivre noir du moulin

Garam masala

- 2 cuil. à café de gousses de cardamome
- 1 cuil. à café de clous de girofle
- 1 bâton de cannelle émietté
- 2 cuil. à soupe de graines de cumin
- 2 cuil. à soupe de graines de coriandre
- 1 cuil. à soupe de poivre noir

Préparez le garam masala. Faites chauffer une sauteuse à feu doux. Faites-y toaster les ingrédients du garam masala pendant 2 à 3 min, jusqu'à ce qu'ils libèrent leurs parfums. Secouez la sauteuse pour empêcher les épices de brûler. Transférez-les dans un mortier et réduisez-les en poudre fine à l'aide du pilon. Réservez-en 2 cuil. à café pour le curry. Conservez le reste dans un récipient hermétique pour des utilisations futures.

Dans une grande sauteuse, faites chauffer l'huile à feu modéré. Faites-y rissoler quelques secondes les clous de girofle et les gousses de cardamome. Ensuite, faites-y suer les oignons à feu doux, en remuant de temps en temps, pendant 20 à 30 min.

Ajoutez l'ail, le gingembre, le safran, le piment en poudre, le cumin, la coriandre et du sel. Faites revenir le tout 1 min. Ajoutez le bœuf et faites cuire 10 min, en remuant régulièrement. Ajoutez le ketchup et le ghee. Laissez mijoter de 2 à 3 min. Versez 300 ml d'eau, couvrez et laissez mijoter pendant 1 h 30, jusqu'à ce que la viande soit presque tendre.

Ajoutez le zeste et le jus de pamplemousse ainsi que le garam masala, puis laissez mijoter à découvert pendant 30 min, jusqu'à ce que la viande soit bien tendre. Salez et poivrez. Garnissez avec des morceaux de pamplemousse et servez chaud.

POUR 6 À 8 PERSONNES • PRÉPARATION 30 MIN • CUISSON 2 H 40 • NIVEAU 2

13 Poulet à la sichuanaise

- 800 g de blancs de poulet
- 1 gousse d'ail ciselée
- 2 cuil. à café de gingembre frais râpé
- 1 cuil. à café de poivre du Sichuan concassé
- 1 cuil. à café de pâte de piment (en épicerie exotique)
- 120 ml de bouillon de poule
- 3 cuil. à soupe de sauce soja
- 1 cuil. à soupe de vinaigre de riz chinois
- ½ cuil. à soupe de sucre en poudre
- ½ cuil. à café de piment rouge concassé
- Riz basmati, pour accompagner
- Brocoli chinois cuit à la vapeur, pour accompagner
- 3 cuil. à soupe d'huile végétale

Faites préchauffer un grand wok à feu vif. Badigeonnez le poulet avec 2 cuil. à soupe d'huile et faites-le revenir pendant 4 à 5 min. Réservez.

Baissez le feu et ajoutez l'huile restante. Faites suer l'ail et le gingembre pendant 2 min. Ajoutez le poivre et la pâte de piment et faites revenir 30 sec, jusqu'à en libérer les parfums. Remettez le poulet dans le wok. Ajoutez le bouillon, la sauce soja, le vinaigre de riz, le sucre et le piment concassé. Laissez mijoter pendant 10 à 15 min en remuant de temps en temps, jusqu'à ce que le tout soit cuit. Servez chaud avec du riz et du brocoli.

POUR 4 PERSONNES • PRÉPARATION 15 MIN • CUISSON 20 À 25 MIN • NIVEAU 1

14 Poulet cajun

- 2 cuil. à soupe d'huile végétale
- 1 cuil. à soupe de jus de citron
- 1 cuil à soupe d'origan séché
- 1 cuil. à soupe de thym séché
- 1 cuil. à soupe de paprika doux
- 1 cuil. à soupe d'ail en poudre
- 1 cuil. à café de piment de Cayenne
- 1 cuil. à café de poivre noir du moulin
- ½ cuil. à café de cumin moulu
- ½ cuil. à café de sel
- 4 escalopes de poulet
- 2 citrons coupés en deux
- Mesclun, pour accompagner

Dans un bol, mélangez l'huile, le jus de citron, l'origan, le thym, le paprika, l'ail en poudre, le piment de Cayenne, le poivre noir, le cumin et le sel.

Préchauffez une grande poêle de feu modéré à vif. Retournez les escalopes dans le mélange d'épices, puis faites-les bien dorer, pendant 5 à 10 min, jusqu'à ce qu'elles soient cuites à cœur.

Préchauffez une petite poêle de feu modéré à vif. Faites-y noircir les citrons pendant 1 à 2 min, pulpe vers le bas. Servez le poulet chaud accompagné des citrons et de mesclun.

POUR 4 PERSONNES • PRÉPARATION 10 MIN • CUISSON 5 À 10 MIN • NIVEAU 1

15 Peposo de jarret
de veau au poivre

- 1,7 kg de jarret de veau coupé en petits morceaux
- 4 gousses d'ail ciselées
- 750 g de tomates mondées et émincées
- 3 à 4 cuil. à soupe de poivre noir moulu
- 350 ml de vin rouge corsé
- Pommes de terre cuites à l'eau ou à la vapeur et autres légumes mélangés, pour accompagner
- Sel

Mettez la viande dans une sauteuse, en terre cuite de préférence, avec l'ail, les tomates, du sel et le poivre. Versez de l'eau jusqu'à recouvrir la viande.

Laissez cuire à feu modéré pendant 2 h, en ajoutant de l'eau si la sauce devient trop épaisse. Remuez de temps en temps. Après 2 h de cuisson, arrosez de vin et poursuivez la cuisson pendant 1 h, jusqu'à ce que la viande soit très tendre.

Servez chaud avec les pommes de terre et les légumes.

POUR 8 PERSONNES • PRÉPARATION 15 MIN • CUISSON 3 H • NIVEAU 1

Le peposo est une spécialité d'Impruneta, une ville située prés de Florence en Italie.

16 Sauté de poulet à l'ananas

- 350 g de nouilles asiatiques
- 2 escalopes de poulet coupées en lanières
- 1 cuil. à soupe de gingembre frais émincé
- 2 gousses d'ail finement émincées
- 200 g d'ananas frais coupé en dés
- 3 cuil. à soupe de cassonade
- 200 g de pousses d'épinard
- 8 champignons shiitaké, le chapeau coupé en quatre et la queue coupée en dés
- 2 cuil. à soupe de jus de citron
- 1 cuil. à café de Tabasco®
- ½ cuil. à café de piment rouge concassé
- 4 cuil. à soupe de graines de sésame toastées
- 4 cuil. à soupe d'huile végétale

Faites cuire les nouilles en respectant les instructions du paquet. Faites chauffer 2 cuil. à soupe d'huile dans un wok de feu modéré à vif. Faites sauter le poulet, le gingembre et l'ail de 6 à 8 min, jusqu'à ce que le poulet soit blanc. Réservez dans un plat à part. Ensuite, ajoutez l'ananas et la cassonade dans le wok. Faites sauter le tout 2 min, jusqu'à ce que l'ananas soit doré et tendre. Transférez dans le même plat que le poulet.

Faites chauffer l'huile restante dans le wok et ajoutez les épinards, les nouilles, les champignons, le jus de citron, le Tabasco® et le piment rouge concassé. Faites fondre le tout pendant 5 min. Remettez le poulet et l'ananas dans le wok, puis réchauffez le tout à feu vif, pendant 2 min. Parsemez de graines de sésame et servez.

POUR 4 PERSONNES • PRÉPARATION 15 MIN • CUISSON 20 MIN • NIVEAU 1

17 Sauté de poulet aux noix

- 150 g de noix grossièrement hachées
- 4 escalopes de poulet coupées en morceaux
- 4 gousses d'ail finement émincées
- 1 cuil. à café de pâte de piment rouge (en épicerie exotique)
- 250 g de haricots verts coupés en morceaux
- 125 g de châtaignes d'eau finement émincées
- 1 poivron vert émincé
- 250 ml de bouillon de poule
- 2 cuil. à soupe de jus de citron vert
- 1 cuil. à soupe de sauce soja
- 2 cuil. à soupe de beurre de cacahuète
- Nouilles asiatiques
- 2 cuil. à soupe d'huile d'arachide

Faites chauffer l'huile dans un grand wok de feu modéré à vif. Faites toaster les noix pendant 5 min. Retirez-les à l'aide d'une écumoire et réservez-les sur du papier absorbant.

Dans le wok, ajoutez le poulet et l'ail, puis faites revenir de 6 à 8 min, jusqu'à ce que le poulet se colore légèrement. Ajoutez la pâte de piment, les haricots verts, les châtaignes d'eau et le poivron. Faites revenir 5 min. Versez le bouillon de poule, le jus de citron et la sauce de soja. Mélangez bien de feu modéré à doux.

Ajoutez le beurre de cacahuète et 2 cuil. à soupe d'eau bouillante. Parsemez de noix. Servez chaud avec les nouilles.

POUR 4 À 6 PERSONNES • PRÉPARATION 15 MIN • CUISSON 10 À 15 MIN • NIVEAU 1

18 Mijoté d'agneau épicé

- 1 oignon ciselé
- 1 carotte coupée en fines rondelles
- 1 branche de céleri coupée en fines rondelles
- 2 gousses d'ail ciselées
- 2 cuil. à soupe de persil ciselé
- 2 piments séchés pilés ou 1 cuil. à café de piment rouge concassé
- 60 g de lardons
- 1,2 kg d'épaule ou de gigot d'agneau coupé en morceaux
- 150 ml de vin blanc sec
- 500 g de tomates mondées et concassées
- Riz, pour accompagner
- 4 cuil. à soupe d'huile d'olive
- Sel, poivre noir du moulin

Dans une grande sauteuse, en terre cuite de préférence, faites rissoler dans l'huile, l'oignon, la carotte, le céleri, l'ail, le persil, les piments et les lardons de feu modéré à vif.

Une fois les lardons et l'oignon dorés, ajoutez la viande et faites cuire de 7 à 8 min sans cesser de remuer. Salez et poivrez, puis arrosez de vin. Laissez cuire jusqu'à évaporation du vin.

Ajoutez les tomates, réduisez un peu le feu et couvrez partiellement. Laissez cuire pendant 2 h, jusqu'à ce que la viande soit très tendre, en ajoutant un peu d'eau chaude si la sauce épaissit de trop. Servez chaud sur un lit de riz.

POUR 4 PERSONNES • PRÉPARATION 15 MIN • CUISSON 2 H 15 MIN • NIVEAU 1

Si vous ne souhaitez pas un plat trop relevé, ne mettez pas de piment.

19 Curry d'agneau

- 4 beaux jarrets d'agneau
- 2 oignons grossièrement émincés
- 2 gousses d'ail ciselées
- 2 cuil. à café de gingembre râpé
- 2 gousses de cardamome fendues
- 2 feuilles de laurier
- 1 bâton de cannelle
- 500 ml de bouillon de poule
- 400 g de tomates en boîte + le jus
- 90 g de yaourt nature
- 3 cuil. à soupe de coriandre ciselée
- Riz basmati, pour accompagner
- 4 cuil. à soupe d'huile végétale

Mélange d'épices

- 1 cuil. à café de garam masala
- 1 cuil. à café de cumin moulu
- 1 cuil. à café de coriandre moulue
- 1 cuil. à café de safran moulu
- 1 cuil. à café de piment de Cayenne moulu

Préparez le mélange d'épices. Dans un bol, mélangez le garam masala, le cumin, la coriandre, le safran et le piment de Cayenne.

Faites chauffer 2 cuil. à soupe d'huile dans une grande sauteuse, à feu vif. Faites dorer la viande pendant 2 à 3 min de chaque côté. Retirez de la sauteuse et réservez. Faites chauffer l'huile restante dans la même sauteuse à feu modéré. Ajoutez les oignons, l'ail et le gingembre, puis faites-les suer pendant 3 à 4 min. Ajoutez le mélange d'épices, la cardamome, le laurier et la cannelle, puis faites rissoler le tout pendant 1 min afin de libérer les parfums. Ajoutez le bouillon de poule, les tomates et la viande. Portez le tout à ébullition. Laissez mijoter pendant 2 h, jusqu'à ce que la viande se détache de l'os. Incorporez le yaourt et la coriandre. Servez chaud sur un lit de riz.

POUR 4 PERSONNES • PRÉPARATION 15 MIN • CUISSON 2 H • NIVEAU 1

20 Curry de porc

- 600 g de filet de porc coupé en dés
- 2 oignons finement émincés
- 2 cuil. à soupe de vinaigre blanc
- 2 feuilles de laurier
- 3 cuil. à soupe d'huile végétale

Pâte de curry

- 8 piments rouges séchés pilés
- 1 cuil. à soupe de graines de coriandre
- 2 cuil. à café de graines de cumin
- 2 cuil. à café de grains de poivre
- 1 cuil. à café de graines de cardamome
- 1 cuil. à café de cannelle moulue
- 5 clous de girofle
- 4 gousses d'ail ciselées
- 1 cuil. à café de gingembre râpé
- ½ cuil. à café de sel

Préparez la pâte de curry. Dans une petite poêle, faites chauffer à sec les piments, la coriandre, le cumin, le poivre, la cardamome, la cannelle et les clous de girofle à feu modéré, pendant 1 à 2 min, jusqu'à libérer les parfums. Pilez jusqu'à l'obtention d'une poudre. Ajoutez 2 cuil. d'eau, l'ail, le gingembre et le sel pour former une pâte.

Dans un saladier, mélangez la viande, les oignons, le vinaigre et le laurier. Ajoutez la pâte de curry et mélangez bien pour enrober. Couvrez et laissez mariner au moins 2 h au réfrigérateur.

Faites chauffer l'huile dans une grande sauteuse, à feu vif. Égouttez la viande et faites-la dorer pendant 3 à 4 min. Ajoutez la marinade et 120 ml d'eau, puis portez à ébullition. Laissez mijoter 1 h 30, à feu modéré. Servez chaud.

POUR 4 PERSONNES • PRÉPARATION 15 MIN + 2 H POUR LA MARINADE • CUISSON 2 H • NIVEAU 1

1 Salade d'agneau au tzatziki

2 Salade au filet de bœuf

3 Brochettes de légumes et de viande

4 Risotto et saucisses au vin rouge

5 Risotto et poulet au vin blanc

TOP 20

6 Riz sauté au poulet

7 Sauté d'agneau aux poivrons

8 Poulet sauté aux noix de cajou et à la mangue

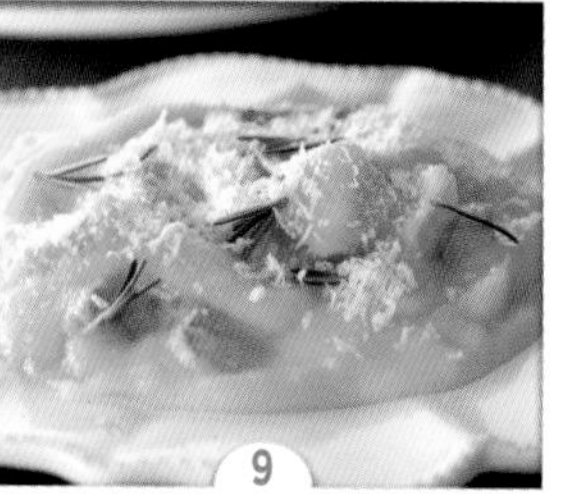
9 Polenta au porc et aux légumes

10 Sauté de bœuf aux épinards

11 Sauté de nouilles au bœuf épicé

12
Roulé de dinde à la pancetta et aux légumes

13
Sauté de porc au chorizo façon paëlla

14
Poulet au riz à l'espagnole

Plats complets

15
Boulettes de poulet aux légumes

16
Pilaf d'agneau

17
Biryani végétarien

18
Jarrets de porc rôtis aux légumes

19
Corned-beef aux légumes

20
Filet de bœuf aux légumes épicés

1 Salade d'agneau au tzatziki

- 500 g de filet d'agneau
- 200 g de roquette
- 16 tomates cerise coupées en deux
- Sel, poivre noir du moulin

Tzatziki

- 250 ml de yaourt à la grecque
- 2 gousses d'ail ciselées
- 1 petit concombre épluché et détaillé en petits dés
- 1 cuil. à soupe de menthe ciselée
- 1 cuil. à soupe d'huile d'olive
- 1 cuil. à soupe de jus de citron

Préchauffez une poêle-gril ou le barbecue à haute température. Placez la viande sur le gril et faites-la cuire de 3 à 5 min de chaque côté pour une cuisson entre saignant et à point. Disposez la roquette et les tomates sur un grand plat de service. Découpez la viande et placez-la sur la salade. Salez et poivrez.

Préparez le tzatziki. Dans un bol, mélangez le yaourt, l'ail, le concombre, la menthe, l'huile et le jus de citron. Servez cette salade chaude, garnie d'une généreuse cuillerée de tzatziki.

POUR 4 PERSONNES • PRÉPARATION 10 MIN • CUISSON 6 À 10 MIN • NIVEAU 1

2 Salade au filet de bœuf

- 1 kg de filet de bœuf
- 200 g de roquette
- 20 tomates cerise coupées en deux
- 4 cuil. à soupe de vinaigre balsamique
- 6 cuil. à soupe d'huile d'olive
- Sel, poivre noir du moulin

Salez et poivrez généreusement la viande. Préchauffez une poêle-gril ou le barbecue à haute température. Versez-y 2 cuil. à soupe d'huile et faites cuire la viande de 8 à 15 min, en fonction de vos goûts.

Disposez la roquette et les tomates sur les assiettes. Découpez la viande et disposez-la sur la salade. Arrosez avec les 4 cuil. à soupe d'huile restantes et le vinaigre balsamique. Salez, poivrez et servez aussitôt.

POUR 4 À 6 PERSONNES • PRÉPARATION 10 MIN • CUISSON 8 À 15 MIN • NIVEAU 1

3 Brochettes de légumes
et de viande

- 350 g de viande de porc
- 350 g d'épaule ou de jarret de veau désossé
- 2 escalopes de poulet
- 1 poivron rouge
- 1 poivron jaune
- 350 g de petits oignons
- 20 tomates cerise
- 5 belles tranches de pain
- 3 saucisses de porc italiennes
- 20 feuilles de sauge fraîche
- 4 cuil. à soupe d'huile d'olive
- 120 ml de bouillon de bœuf
- Sel, poivre noir du moulin

Préchauffez le four à 200 °C (th. 6-7). Dégraissez la viande. Coupez la viande, les légumes et le pain en gros cubes ou en gros morceaux. Débitez les saucisses en tranches épaisses.

Piquez les morceaux sur des brochettes en bois ou en métal, en alternant viande, saucisse, légume, pain et feuille de sauge.

Disposez les brochettes dans un plat allant au four. Salez, poivrez et arrosez d'huile.

Enfournez pour 30 min de cuisson, en tournant de temps en temps et en arrosant de bouillon de bœuf. Lorsque la viande est bien dorée, ôtez-la du four et servez aussitôt.

POUR 6 PERSONNES • PRÉPARATION 20 MIN • CUISSON 30 MIN • NIVEAU 1

Prenez les légumes et la viande que vous avez sous la main et variez en fonction de la saison ! Choisissez des morceaux de bœuf et d'agneau qui ne deviennent pas fermes en cuisant.

4 Risotto et saucisses
au vin rouge

- 12 feuilles de sauge fraîche
- 30 g de beurre
- 1 bel oignon épluché et émincé
- 400 g de saucisses de porc italiennes pelées et coupées en petits morceaux
- 400 g de riz à risotto
- 90 ml de vin rouge sec
- 1,5 litre de bouillon de légumes bouillant
- 3 cuil. à soupe d'huile d'olive

Dans une petite poêle, faites chauffer l'huile à feu modéré. Faites-y rissoler la sauge pendant 2 min. Ôtez-la avec une écumoire et laissez-la égoutter sur du papier absorbant.

Faites fondre le beurre dans une grande poêle à feu modéré. Faites-y suer l'oignon pendant 3 à 4 min. Ajoutez les saucisses et faites-les rissoler pendant 5 min. Ensuite, faites revenir le riz pendant 2 min, jusqu'à ce qu'il soit transparent. Versez le vin et poursuivez la cuisson de 2 à 3 min, jusqu'à évaporation. Versez le bouillon progressivement, en le laissant s'évaporer entre deux ajouts, sans cesser de remuer. Comptez de 15 à 18 min de cuisson. Ôtez du feu. Couvrez et laissez reposer de 2 à 3 min. Garnissez de feuilles de sauge et servez aussitôt.

POUR 4 À 6 PERSONNES • PRÉPARATION 20 MIN • CUISSON 20 MIN • NIVEAU 2

5 Risotto et poulet
au vin blanc

- 60 g de beurre
- 1 oignon épluché et ciselé
- 1 carotte épluchée et émincée
- 1 branche de céleri émincée
- 1 poulet de 1,5 kg coupé en six
- 125 ml de bouillon de poule bouillant
- 400 g de riz à risotto
- 125 ml de vin blanc sec
- 60 g de parmesan fraîchement râpé
- 4 cuil. à soupe d'huile d'olive
- Sel, poivre noir du moulin

Faites chauffer l'huile et 30 g de beurre dans une grande poêle à feu modéré. Ajoutez l'oignon, la carotte et le céleri, puis faites revenir de 5 à 7 min. Ajoutez le poulet et faites-le dorer de 6 à 8 min. Versez le bouillon, couvrez partiellement et laissez mijoter 30 min, jusqu'à ce que le poulet soit tout juste tendre.

Versez le riz et remuez bien. Mouillez peu à peu avec le vin en le laissant s'évaporer entre deux ajouts, sans cesser de remuer, jusqu'à ce que le riz soit cuit. Comptez de 15 à 18 min de cuisson. Incorporez le beurre restant. Salez et poivrez. Parsemez de parmesan et servez aussitôt.

POUR 4 À 6 PERSONNES • PRÉPARATION 20 MIN • CUISSON 1 H • NIVEAU 2

6 Riz sauté au poulet

- 2 gros œufs légèrement battus
- 1 oignon épluché et ciselé
- 2 gousses d'ail épluchées et ciselées
- 125 g de lardons
- 3 cuil. à soupe de vin de xérès
- 2 cuil. à café de sucre en poudre
- 400 g de poulet cuit déchiré
- 75 g de petits pois surgelés
- 400 g de riz basmati ou de riz au jasmin cuit
- 3 cuil. à soupe de sauce soja
- 1 cuil. à soupe de sauce d'huître
- 4 oignons nouveaux coupés en diagonale
- 3 cuil. à soupe d'huile d'arachide

Faites chauffer un wok à feu vif. Versez-y 1 cuil. à soupe d'huile. Versez-y les œufs et faites-les prendre pendant 2 min, sans cesser de remuer. Transférez l'omelette sur une planche à découper et coupez-la en bandelettes.

Dans un wok, faites chauffer l'huile restante à feu vif. Faites-y fondre l'oignon, l'ail et les lardons. Ajoutez le vin et le sucre. Poursuivez la cuisson pendant 1 min. Ajoutez le poulet et les petits pois. Prolongez de nouveau la cuisson pendant 1 min. Ajoutez le riz, la sauce soja, la sauce d'huître, les oignons nouveaux et la moitié de l'omelette. Faites sauter le tout jusqu'à ce que le riz soit chaud, pendant 2 à 3 min. Présentez dans des bols. Parsemez de l'omelette restante et servez chaud.

POUR 4 À 6 PERSONNES • PRÉPARATION 15 MIN • CUISSON 10 MIN • NIVEAU 1

Voici une excellente manière d'accommoder les restes de riz. Vous pouvez décliner cette recette en utilisant des restes de poisson ou de viande. Vous pouvez remplacer le poulet par 400 g de crevettes décortiquées.

7 Sauté d'agneau
aux poivrons

- 750 g d'aloyau d'agneau coupé en lanières
- ¼ de cuil. à café de safran moulu
- 1 cuil. à café de piment en poudre
- ½ cuil. à café de gingembre haché
- 2 gousses d'ail ciselées
- 1 cuil. à café de garam masala
- 3 poivrons de couleur différente émincés
- 2 carottes coupées en bâtonnets
- 4 châtaignes d'eau en boîte, coupées en huit
- 2 cuil. à soupe de sauce soja claire
- 2 cuil. à soupe de sauce d'huître
- Riz basmati et piments verts émincés, pour servir
- 60 ml d'huile d'arachide
- Sel

Faites chauffer l'huile dans un grand wok à feu vif. Faites-y légèrement dorer la viande pendant 8 min. Ajoutez le safran, le piment en poudre, le gingembre, l'ail, le garam masala et du sel. Faites sauter le tout pendant 5 min pour mélanger les parfums et achever la cuisson. Ôtez la viande à l'aide d'une écumoire et réservez.

Dans le wok, faites sauter les poivrons, les carottes et les châtaignes pendant 5 min, de feu modéré à vif, jusqu'à ce que les légumes soient cuits tout en croquant sous la dent. Remettez la viande dans le wok, puis ajoutez la sauce soja et la sauce d'huître. Poursuivez la cuisson jusqu'à l'ébullition. Servez chaud avec du riz basmati et des piments verts.

POUR 4 PERSONNES • PRÉPARATION 15 MIN • CUISSON 20 MIN • NIVEAU 1

8 Poulet sauté
aux noix de cajou et à la mangue

- 1 oignon finement émincé
- 2 poivrons de couleur différente émincés
- 3 carottes coupées en julienne
- Pousses de bambou en boîte égouttées
- 2 escalopes de poulet coupées en cubes
- 1 mangue pelée et coupée en petits morceaux
- 2 cuil. à soupe de jus de citron vert
- 1 cuil. à soupe de fécule de maïs
- 1 cuil. à soupe de sauce soja foncée
- Coriandre fraîche
- 100 g de noix de cajou grillées
- Riz basmati, pour servir
- 3 cuil. à soupe d'huile d'arachide

Faites chauffer l'huile dans un grand wok à feu vif. Faites-y revenir l'oignon, les poivrons, les carottes et les pousses de bambou pendant 5 min, jusqu'à ce que les légumes soient cuits tout en croquant sous la dent. Ajoutez le poulet et faites-le revenir pendant 5 min, jusqu'à ce qu'il blanchisse. Ajoutez la mangue et poursuivez la cuisson pendant 2 min.

Dans un bol, mélangez le jus de citron vert, la fécule de maïs et la sauce soja jusqu'à l'obtention d'un mélange homogène. Versez dans le wok et faites chauffer en laissant épaissir le mélange. Garnissez de coriandre et de noix de cajou. Servez avec le riz.

POUR 4 PERSONNES • PRÉPARATION 15 MIN • CUISSON 15 MIN • NIVEAU 1

9 Polenta au porc
et aux légumes

- 1,5 kg de sauté de porc coupé en dés
- 500 g de filet de porc coupé en petits cubes
- 600 g de chou de Milan coupé en fines lanières
- 1 petit oignon grossièrement émincé
- 1 petite carotte coupée en rondelles
- 1 branche de céleri émincée
- 200 g de polenta
- 75 g de beurre coupé en petits morceaux
- 4 cuil. à soupe de parmesan râpé
- 4 tiges de romarin
- Sel

Mettez la viande dans une grande cocotte avec le chou, l'oignon, la carotte et le céleri. Ajoutez 1 pincée de sel et versez 125 ml d'eau chaude. Couvrez hermétiquement et portez rapidement à ébullition. Ensuite, réduisez le feu et laissez mijoter pendant 30 min.

Pendant la cuisson du filet de porc et des légumes, portez 1,5 litre d'eau salée à ébullition dans une grande cocotte. Versez la polenta sans cesser de remuer à l'aide d'une grosse cuillère en bois pour éviter la formation de grumeaux. Poursuivez la cuisson de feu modéré à doux pendant 25 min, sans cesser de remuer.

Ajoutez la viande, les légumes et le jus de cuisson à la polenta, puis remuez bien. Laissez mijoter de 20 à 25 min, en remuant régulièrement et en ajoutant un peu d'eau bouillante au besoin pour que la polenta reste imprégnée et souple. Incorporez le beurre et le parmesan. Garnissez de romarin. Servez immédiatement.

POUR 4 PERSONNES • PRÉPARATION 10 MIN • CUISSON 1 H • NIVEAU 1

La polenta est un plat venant d'Italie, où il a constitué l'alimentation de base des pauvres pendant des siècles. Mais vers la fin du XXe siècle, la polenta est devenue un mets de choix servi dans les plus grands restaurants, notamment comme base pour de succulentes sauces aux champignons et à la viande.

10 Sauté de bœuf aux épinards

- 1 kg de filet de bœuf coupé en lanières
- 75 ml de sauce soja foncée
- 75 ml de jus de pomme
- 1 cuil. à café de piments oiseaux séchés
- 2 gousses d'ail émincées
- 1 papaye pelée et coupée en petits cubes
- 10 tomates cerise coupées en deux
- 350 g de nouilles de riz
- 2 branches de céleri émincées
- 2 cuil. à soupe de gingembre frais haché
- 250 g de pousses d'épinard
- 3 cuil. à soupe d'huile d'arachide

Dans un saladier, mélangez la viande de bœuf avec la sauce soja, le jus de pomme, les piments, l'ail, la papaye et les tomates. Laissez mariner pendant 2 h.

Faites cuire les nouilles en respectant les instructions du paquet. Égouttez et réservez.

Faites chauffer l'huile dans un wok à feu vif. Faites sauter le céleri et le gingembre pendant 1 min pour libérer les saveurs. Ajoutez la viande et la marinade. Remuez régulièrement pendant 5 min, jusqu'à évaporation du liquide et jusqu'à ce que la viande soit cuite. Ajoutez les épinards et les nouilles. Faites sauter le tout pendant 2 min. Servez chaud.

POUR 4 À 6 PERSONNES • PRÉPARATION 10 MIN + 2 H POUR LA MARINADE • CUISSON 15 MIN • NIVEAU 2

11 Sauté de nouilles
au bœuf épicé

- 400 g de ramen (nouilles de blé japonaises)
- 500 g de filet de bœuf maigre détaillé en fines lanières
- 2 cuil. à soupe d'huile de piment asiatique
- 90 ml de jus de citron
- 1 cuil. à soupe de sauce soja
- 2 gousses d'ail émincées
- 1 cuil. à café de gingembre râpé
- 1 cuil. à café de Tabasco®
- 1 oignon émincé
- 1 poivron rouge épépiné et émincé
- 180 g de pois mange-tout
- 150 g de maïs surgelé
- 1 piment rouge ciselé
- 2 oignons nouveaux émincés
- Coriandre fraîche
- 2 cuil. à soupe d'huile d'arachide

Faites cuire les nouilles en respectant les instructions du paquet. Égouttez et réservez. Laissez mariner les lanières de bœuf dans l'huile de piment, 3 cuil. à soupe de jus de citron, la sauce soja, l'ail, le gingembre et le Tabasco® pendant 15 min.

Faites chauffer l'huile dans un wok à feu vif. Faites-y suer l'oignon pendant 2 à 3 min. Ajoutez le mélange de bœuf et faites-le dorer pendant 5 à 6 min. Ajoutez le poivron, les pois mange-tout, le maïs, le piment et le jus de citron restant. Faites sauter les légumes 5 min, de manière à ce qu'ils soient cuits tout en restant croquants. Ajoutez les oignons et les nouilles. Réchauffez le tout. Garnissez de coriandre et servez aussitôt.

POUR 4 PERSONNES • PRÉPARATION 10 MIN + 15 MIN POUR LA MARINADE • CUISSON 15 À 25 MIN • NIVEAU 1

12 Roulé de dinde à la pancetta et aux légumes

- 1,5 kg de poitrine de dinde
- 2 ou 3 cuil. à soupe de sauge, de romarin et d'ail ciselés
- 350 g de pancetta coupée en fines lanières
- 500 g de petits oignons blancs pelés
- 2 ou 3 carottes coupées en rondelles
- 500 g de pommes de terre nouvelles grattées
- 250 ml de vin blanc sec
- 500 ml de bouillon de bœuf
- 4 cuil. à soupe d'huile d'olive
- Sel, poivre noir du moulin

À l'aide d'un couteau aiguisé, ouvrez la poitrine de dinde de manière à obtenir une forme rectangulaire. Attendrissez-la à l'aide d'un pilon en veillant à ne pas déchirer les fibres. Parsemez d'herbes aromatiques, salez et poivrez.

Roulez la viande sur elle-même et, de nouveau, salez et poivrez. Ensuite, enroulez-la avec les tranches de pancetta de manière à la recouvrir complètement. Maintenez le tout à l'aide de ficelle de cuisine.

Transférez dans une cocotte et versez l'huile. Faites dorer la viande à feu vif pendant 10 min, en tournant de temps en temps. Ajoutez les oignons, les carottes et les pommes de terre. Mouillez avec le vin, réduisez le feu et couvrez. Laissez mijoter 50 min, jusqu'à ce que les légumes soient bien cuits. Mouillez régulièrement avec le bouillon en cours de cuisson pour éviter que la viande ne se dessèche – la viande doit toujours baigner dans le jus.

Une fois la viande cuite, ôtez la ficelle et découpez le roulé en tranches épaisses. Présentez sur un plat de service avec les légumes. Servez aussitôt accompagné du jus de cuisson.

POUR 4 À 6 PERSONNES • PRÉPARATION 30 MIN • CUISSON 1 H • NIVEAU 2

13 Sauté de porc au chorizo
façon paëlla

- 500 g d'épinards
- 250 g de filet de porc coupé en petits morceaux
- 150 g de chorizo pimenté découpé en rondelles
- 2 beaux oignons rouges ciselés
- 1 poivron vert émincé
- 2 belles tomates coupées en rondelles
- 3 grosses gousses d'ail émincées
- 400 g de riz à paella (de préférence du riz goya, bomba ou arborio)
- 2 cuil. à café de paprika doux
- 1 piment séché pilé
- 1 litre de bouillon de poule
- 1 pincée de filaments de safran réhydratés dans 2 cuil. à soupe d'eau bouillante
- 4 cuil. à soupe d'huile d'olive
- Sel, poivre noir du moulin

Laissez faner les épinards de 2 à 3 min dans de l'eau bouillante. Égouttez, hachez grossièrement et réservez. Faites chauffer l'huile dans une grande poêle à feu vif. Faites-y dorer la viande de 3 à 5 min. Salez et poivrez. Réservez. Faites sauter le chorizo dans la poêle pendant 3 à 4 min, jusqu'à ce qu'il soit croustillant. Ajoutez les oignons, le poivron, les tomates et l'ail, puis laissez mijoter pendant 20 min.

Versez le riz et remuez-le bien pour l'enrober. Salez, poivrez, puis ajoutez le paprika. Ajoutez le piment, le bouillon et l'eau de trempage du safran. Laissez mijoter 15 min, jusqu'à absorption totale du bouillon. Incorporez la viande et les épinards. Ôtez du feu et laissez reposer 5 min. Servez chaud.

POUR 4 À 6 PERSONNES • PRÉPARATION 20 MIN • CUISSON 50 MIN • NIVEAU 2

14 Poulet au riz à l'espagnole

- 2 kg de poulet découpé avec la peau et les os
- 2 beaux oignons ciselés
- 3 gousses d'ail émincées
- 1 poivron rouge épépiné et coupé en dés
- 125 g de dés de jambon
- 400 g de riz
- 1 litre de bouillon de poule
- ½ cuil. à café de filaments de safran
- 150 g de mélange de légumes surgelés
- 1 petit piment vert émincé
- 60 g d'olives noires
- Coriandre et persil frais
- 60 ml d'huile végétale
- Sel

Salez les morceaux de poulet. Dans une sauteuse, faites chauffer l'huile à feu vif. Faites-y dorer le poulet pendant 8 à 10 min. Ôtez du feu et réservez.

Ajoutez les oignons, l'ail, le poivron et le jambon. Faites revenir le tout pendant 5 min. Versez le riz et le bouillon, puis portez à ébullition. Remettez le poulet dans la sauteuse et ajoutez le safran. Couvrez et laissez mijoter à feu doux pendant 20 min. Ajoutez les légumes, le piment et les olives. Laissez mijoter 10 min, jusqu'à ce que le riz soit cuit. Garnissez de coriandre et de persil. Servez aussitôt.

POUR 6 PERSONNES • PRÉPARATION 20 MIN • CUISSON 45 MIN • NIVEAU 1

15 Boulettes de poulet
aux légumes

- 1 aubergine
- 1 gousse d'ail
- 1 gros oignon coupé en rondelles épaisses
- 2 poivrons, rouges, jaunes ou verts, coupés en dés
- 1 courgette coupée en dés
- 10 tomates cerise coupées en deux
- 50 g d'olives noires
- 600 g d'escalopes de poulet hachées
- 2 cuil. à soupe de pain de mie, trempé dans du lait et pressé
- 60 g de parmesan râpé
- 1 gros œuf
- 1 cuil. à soupe de persil ciselé
- 75 g de farine
- 125 ml de bouillon de bœuf
- 10 feuilles de basilic déchirées
- 125 ml d'huile d'olive
- Sel, poivre noir du moulin

Coupez l'aubergine en rondelles épaisses. Salez et laissez dégorger 20 min dans une passoire. Coupez en cubes.

Dans une grande sauteuse, faites chauffer 60 ml d'huile à feu modéré. Faites-y suer l'ail et l'oignon pendant 3 à 4 min. Ajoutez les poivrons, l'aubergine, la courgette, les tomates et les olives. Salez et poivrez. Laissez mijoter pendant 20 min, jusqu'à ce que les légumes soient cuits, en ajoutant un peu d'eau de temps en temps au besoin.

Pendant ce temps, mélangez le poulet, le pain, le parmesan, l'œuf, le persil et un peu de sel dans un saladier. Formez des boulettes et roulez-les dans la farine.

Dans une grande sauteuse, faites chauffer l'huile restante à feu modéré. Faites dorer les boulettes de viande de 5 à 7 min. Ajoutez le mélange de légumes, salez et poivrez. Laissez mijoter 5 min en remuant régulièrement. Si le mélange se dessèche, mouillez-le avec le bouillon. Transférez dans un plat de service, parsemez de basilic et servez aussitôt.

POUR 6 PERSONNES • PRÉPARATION 20 MIN + 20 MIN POUR DÉGORGER • CUISSON 40 MIN • NIVEAU 2

16 Pilaf d'agneau

- 1 kg de viande d'agneau maigre coupée en petits cubes
- 4 gousses de cardamome verte
- 2 gousses de cardamome noire
- 5 clous de girofle
- 1 oignon émincé
- ½ cuil. à café de sel
- 12 grains de poivre noir
- 400 g de riz basmati
- 1 cuil. à café de filaments de safran
- 2 gousses d'ail ciselées
- 2 cuil. à café de gingembre râpé
- 1 petit bâton de cannelle
- 30 g de beurre
- 100 g d'amandes
- 100 g de raisins secs blonds

Mettez la viande, 600 ml d'eau, la cardamome verte et la cardamome noire, les clous de girofle, l'oignon, le sel et le poivre dans une cocotte posée sur feu modéré. Portez à ébullition. Ensuite, couvrez et laissez mijoter de 30 à 40 min à feu doux, jusqu'à ce que la viande soit tendre. Ôtez l'agneau à l'aide d'une écumoire et réservez.

Filtrez le bouillon, remettez-le dans la cocotte et portez-le à ébullition. Ajoutez le riz, le safran, l'ail, le gingembre, le bâton de cannelle et la viande. Laissez mijoter de 15 à 20 min à feu doux, jusqu'à ce que le riz soit cuit. Ajoutez un peu d'eau si le riz a absorbé toute l'eau avant la fin de la cuisson.

Dans une petite poêle, faites fondre le beurre à feu modéré. Faites rissoler les amandes et les raisins pendant 2 à 3 min. Parsemez-en le pilaf et servez aussitôt.

POUR 4 À 6 PERSONNES • PRÉPARATION 20 MIN • CUISSON 50 À 60 MIN • NIVEAU 1

17 Biryani végétarien

- 300 g de riz basmati
- 60 g de ghee (ou beurre clarifié)
- 2 beaux oignons émincés
- 2 gousses d'ail émincées
- 1 piment vert émincé
- 6 gousses de cardamome pilées
- 2 cuil. à café de garam masala
- ½ cuil. à café de coriandre moulue
- ½ cuil. à café de graines de cumin
- ¼ de cuil. à café de safran moulu
- 2 tomates coupées en dés
- 3 cuil. à soupe de raisins secs blonds
- 50 g de noix de cajou légèrement grillées
- 3 cuil. à soupe de coriandre ciselée
- Sel, poivre noir du moulin

Faites chauffer 2 cuil. à soupe de ghee dans une grande poêle à feu modéré. Faites-y suer les oignons et l'ail pendant 3 à 4 min. Réservez.

Dans une grande casserole, faites fondre le ghee restant à feu modéré. Faites-y chauffer le piment, la cardamome, le garam masala, la coriandre, le cumin, le safran, du sel et du poivre pour libérer les parfums. Ajoutez le riz et remuez bien pour l'enrober. Ajoutez les tomates, les raisins et 500 ml d'eau. Portez à ébullition. Réduisez le feu et laissez mijoter, sans remuer, pendant 5 min. Ajoutez le mélange d'oignons, couvrez et laissez mijoter pendant 2 min. Éteignez le feu et laissez reposer de 10 à 15 min, pour achever doucement la cuisson. Incorporez les noix de cajou et la coriandre. Servez aussitôt.

POUR **4** À **6** PERSONNES • PRÉPARATION **20** MIN • CUISSON **20** À **25** MIN • NIVEAU **1**

18 Jarrets de porc rôtis
aux légumes

- 3 jarrets de porc de 1,5 kg
- 4 cuil. à soupe de farine
- 200 ml de vin blanc sec
- 2 belles carottes grossièrement émincées
- 2 branches de céleri grossièrement émincées
- 2 oignons blancs coupés en quatre
- 4 belles pommes de terre pelées et coupées en gros morceaux
- 2 courgettes coupées en rondelles épaisses
- 500 ml de bouillon de bœuf
- 6 cuil. à soupe d'huile d'olive
- Sel, poivre noir du moulin

Préchauffez le four à 200 °C (th. 6-7). Retournez la viande dans la farine, puis salez et poivrez généreusement. Faites chauffer 4 cuil. à soupe d'huile dans une grande cocotte et faites-y dorer la viande à feu vif pendant 5 à 10 min. Transférez la viande et le jus de cuisson dans un plat allant au four.

Enfournez pour 20 min. Mouillez avec le vin et prolongez la cuisson de 40 min, en ajoutant un peu de bouillon si le plat est trop sec.

Pendant ce temps, faites chauffer 2 cuil. à soupe d'huile dans une grande cocotte posée sur feu vif et faites revenir les légumes de 5 à 7 min.

À la fin de la première heure de cuisson des jarrets, ajoutez les légumes et le jus de cuisson. Enfournez pour 1 h de plus, en mouillant régulièrement avec la sauce.

Ôtez du four. Disposez la viande et les légumes sur un plat de service préalablement chauffé. Servez chaud.

POUR 4 À 6 PERSONNES • PRÉPARATION 20 MIN • CUISSON 2 H 05 À 2 H 10 • NIVEAU 1

Cette recette de jarrets de porc est idéale pour un déjeuner dominical en famille. Accompagnez-le d'un bon vin rouge et régalez-vous !

19 Corned-beef aux légumes

- 3 kg de corned-beef
- 1 oignon piqué de 3 clous de girofle
- 8 gousses d'ail pelées et entières
- 1 cuil. à soupe de poivre noir du moulin
- 6 oignons épluchés
- 6 pommes de terre épluchées
- 6 carottes épluchées
- ½ cuil. à café de marjolaine sèche
- 6 navets épluchés

Mettez le corned-beef dans une cocotte en terre cuite de 8 litres de contenance. Recouvrez la viande d'eau. Portez à ébullition à feu vif et laissez bouillir 5 min. Écumez la surface. Ajoutez l'oignon piqué, l'ail et le poivre, puis laissez mijoter 10 min de plus.

Écumez de nouveau la surface. Couvrez et laissez mijoter à feu très doux pendant 1 h. Ajoutez les oignons et laissez mijoter 30 min. Ajoutez les pommes de terre, les carottes et la marjolaine, puis laissez mijoter encore 10 min. Ajoutez les navets et laissez mijoter 30 min, jusqu'à ce que la viande et les légumes soient cuits.

Ôtez la viande, jetez le bouillon et l'oignon. Servez aussitôt avec les légumes.

POUR 8 À 10 PERSONNES • PRÉPARATION 20 MIN • CUISSON 2 H 30 • NIVEAU 1

20 Filet de bœuf
aux légumes épicés

- 500 g de pommes de terre nouvelles coupées en quatre
- 125 g de haricots verts
- 125 g de pois mange-tout
- 500 g de filet de bœuf coupé en tranches
- 60 ml de vinaigre de vin rouge
- 1 gousse d'ail émincée
- 2 cuil. à café de moutarde
- 1 cuil. à café de sucre en poudre
- 75 g d'olives vertes
- ½ piment rouge épépiné et émincé
- 1 cuil. à soupe de persil ciselé
- 2 tomates coupées en dés
- 120 ml d'huile végétale
- Sel, poivre noir du moulin

Faites cuire les pommes de terre dans une grande casserole d'eau bouillante pendant 10 à 15 min. Après 7 min de cuisson, ajoutez les haricots verts et les pois mange-tout. Laissez cuire de 3 à 5 min, puis égouttez.

Faites cuire les tranches de viande dans 1 cuil. à soupe d'huile pendant 3 à 4 min de chaque côté. Salez et poivrez. Coupez la viande en fines lanières.

Dans un bol, mélangez l'huile restante, le vinaigre, l'ail, la moutarde et le sucre. Mettez la viande, les pommes de terre, les haricots, les pois, les olives, le piment, le persil et les tomates dans un saladier. Arrosez de vinaigrette et mélangez bien. Servez aussitôt.

POUR 4 PERSONNES • PRÉPARATION 15 MIN • CUISSON 20 MIN • NIVEAU 1

1

Feuilleté de poulet thaï

2

Croustades au poulet
et aux champignons

3

Tourtes au poulet,
aux poireaux et aux lardons

4

Bricks de poulet
aux champignons

5

Pastilla de poulet
à la feta

TOP 20

6

Pastilla marocaine

7

Hachis Parmentier

8

Tourte à la saucisse
et aux poireaux

9

Croustades au bœuf
et aux champignons

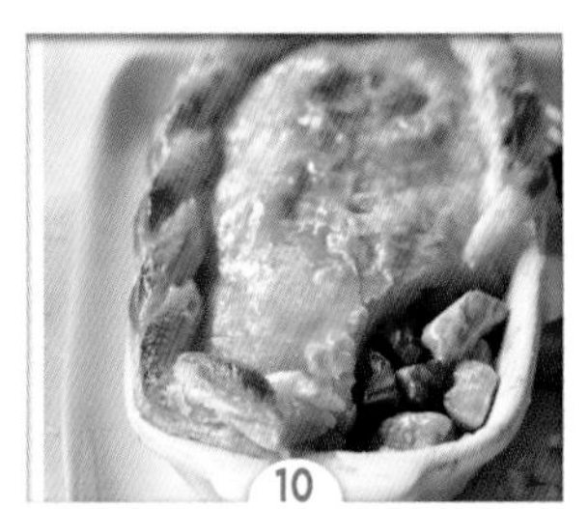

10

Croustade au porc

11

Bœuf Wellington

12
Croustade du berger

13
Tourtes au bœuf haché

14
Tourtes à l'anglaise

Bricks et feuilletés

15
Pâté en croûte aux œufs

16
Tourte au bacon et aux légumes

17
Feuilleté de bœuf à l'oignon

18
Feuilletés d'agneau à l'anglaise

19
Flans aux poireaux et à la pancetta

20
Friands à la viande et aux légumes

1 Feuilleté de poulet thaï

- 2 oignons émincés
- 2 poivrons rouges épépinés et coupés en dés
- 60 ml de pâte de curry thaïe
- 2 blancs de poulet coupés en dés
- 1 pâte feuilletée prête à dérouler
- 2 cuil. à soupe d'huile de sésame

Préchauffez le four à 220 °C (th. 7). Faites chauffer l'huile dans une grande poêle à feu modéré. Faites-y revenir les oignons, les poivrons et la pâte de curry pendant 5 min. Ajoutez le poulet et faites-le cuire pendant 5 min.

Transvasez le mélange dans un moule à tarte de 20 cm de diamètre. Découpez la pâte pour l'adapter au moule. Badigeonnez les rebords du plat avec de l'eau et recouvrez de pâte. Appuyez fermement sur les rebords pour refermer le tout. Badigeonnez avec un peu d'eau et écrasez avec une fourchette. Enfournez pour 25 à 30 min et faites dorer. Servez chaud.

POUR 4 PERSONNES • PRÉPARATION 15 MIN • CUISSON 35 À 40 MIN • NIVEAU 1

2 Croustades au poulet
et aux champignons

- 2 escalopes de poulet coupées en dés
- 2 poireaux émincés
- 250 g de champignons coupés en quatre
- 250 ml de crème fraîche
- 1 cuil. à soupe de moutarde de Dijon
- 2 cuil. à soupe de thym ciselé
- 1 pâte feuilletée prête à dérouler
- 1 gros œuf légèrement battu
- 2 cuil. à soupe d'huile d'olive
- Sel, poivre noir du moulin

Préchauffez le four à 220 °C (th. 7). Faites chauffer l'huile dans une grande poêle à feu modéré. Faites-y sauter le poulet pendant 5 min. Ajoutez les poireaux et les champignons. Couvrez et laissez mijoter 5 min. Incorporez la crème fraîche, la moutarde, le thym, du sel et du poivre. Ensuite, transvasez dans des ramequins de 250 ml à l'aide d'une cuillère à soupe.

Découpez la pâte en 4 carrés et recouvrez-en les ramequins. Badigeonnez d'œuf battu. Enfournez pour 15 min, jusqu'à ce que les croustades soient dorées et gonflées. Servez chaud.

POUR 4 PERSONNES • PRÉPARATION 15 MIN • CUISSON 20 MIN • NIVEAU 1

3 Tourtes au poulet,
aux poireaux et aux lardons

- 1 beau poulet de 2 kg
- 2 carottes coupées en rondelles
- 3 oignons (1 coupé en deux, 2 finement émincés)
- 1 bouquet garni
- 3 poireaux coupés en rondelles épaisses
- 350 g de lardons fumés
- 150 g de beurre
- 150 g de farine
- 120 ml de crème fraîche
- 2 cuil. à soupe de moutarde de Dijon
- 1 gros œuf battu
- 2 pâtes feuilletées prêtes à dérouler
- 2 cuil. à soupe d'huile d'olive
- Sel, poivre noir du moulin

Mettez le poulet dans une grande cocotte posée sur feu vif. Ajoutez les carottes, l'oignon coupé en deux et le bouquet garni. Couvrez d'eau froide. Portez à ébullition, puis laissez mijoter à feu doux pendant 45 min.

Ôtez le poulet de la cocotte et réservez-le. Remettez la cocotte à feu doux et laissez mijoter. Désossez le poulet et coupez la viande en petits morceaux. Ajoutez les os dans la cocotte. Laissez mijoter 30 min, puis filtrez. Mesurez 1,5 litre de bouillon.

Dans une grande sauteuse, faites chauffer l'huile à feu modéré. Jetez-y les oignons émincés et les poireaux, puis faites-les suer 5 min. Ajoutez les lardons et faites-les rissoler pendant 5 min. Ôtez et réservez.

Faites fondre le beurre dans la même sauteuse. Ajoutez la farine et mélangez jusqu'à l'obtention d'une pâte homogène. Versez progressivement le bouillon, en remuant régulièrement. Laissez mijoter de 2 à 3 min. Incorporez la crème fraîche et la moutarde. Salez et poivrez. Ajoutez le mélange de poulet et de lardons. Répartissez dans 2 plats à gratin ovales et laissez refroidir.

Préchauffez le four à 200 °C (th. 6-7). Badigeonnez les bords des plats avec de l'œuf battu. Déposez la pâte en pressant avec les doigts pour sceller la tourte. Pratiquez un petit trou dans chaque tourte pour permettre à la vapeur de s'échapper. Badigeonnez la surface avec de l'œuf battu. Enfournez pour 20 à 25 min, jusqu'à ce que la farce bouille et que la surface dore. Servez chaud.

POUR 6 À 8 PERSONNES • PRÉPARATION 1 H • CUISSON 1 H 50 • NIVEAU 2

4 Bricks de poulet
aux champignons

- 3 échalotes ciselées
- 2 gousses d'ail ciselées
- 1 cuil. à café de gingembre finement râpé
- 1 petit piment rouge épépiné et ciselé
- 125 g de champignons shiitake coupés en petits dés
- 1 cuil. à café de cinq-épices
- 500 g de poulet haché
- 2 cuil. à soupe de crème légère
- 1 blanc d'œuf légèrement battu
- 12 feuilles de brick
- 125 g de beurre fondu
- 1 cuil. à soupe d'huile de sésame
- Sel

Dans une grande poêle, faites chauffer l'huile à feu modéré. Faites-y revenir les échalotes, l'ail, le gingembre et le piment pendant 3 à 4 min. Ajoutez les champignons et le mélange d'épices, puis faites revenir pendant 5 min. Ajoutez le poulet, la crème et le blanc d'œuf. Salez.

Préchauffez le four à 200 °C (th. 6-7). Recouvrez 2 plaques de cuisson de papier sulfurisé. Disposez 3 feuilles de brick l'une sur l'autre en les badigeonnant de beurre fondu. Coupez-les en trois dans le sens de la longueur. Déposez 1 cuil. de farce à l'extrémité de chaque bande. Repliez en croisant, avec un mouvement avant/arrière, pour créer des triangles. Déposez les triangles sur les plaques. Enfournez pour 15 min jusqu'à ce qu'ils soient dorés. Servez chaud.

POUR 6 À 8 PERSONNES • PRÉPARATION 30 MIN • CUISSON 25 MIN • NIVEAU 2

5 Pastilla de poulet à la feta

- 1 beau poireau émincé
- 1 gousse d'ail ciselée
- 4 escalopes de poulet coupées en dés
- 1 botte de pousses d'épinards
- 3 poivrons rouges grillés, en conserve
- 50 g d'olives noires
- 180 g de feta émiettée
- 2 cuil. à soupe de persil ciselé
- 3 gros œufs
- 60 ml de crème fraîche épaisse
- 8 feuilles de brick
- 90 g de beurre fondu
- 2 cuil. à soupe d'huile d'olive
- Sel

Préchauffez le four à 180 °C (th. 6). Dans une grande poêle, faites chauffer l'huile à feu modéré. Ajoutez le poireau, l'ail et le poulet. Faites rissoler 5 min, jusqu'à ce que le poulet soit doré. Faites cuire les épinards dans un peu d'eau salée pendant 2 à 3 min, jusqu'à ce qu'ils soient tout juste tendres. Laissez égoutter et émincez grossièrement. Dans un bol, mélangez le poulet, les épinards, les poivrons, les olives, la feta, le persil, les œufs et la crème.

Beurrez un plat à gratin carré de 23 cm de côté. Réunissez 2 feuilles de brick en les badigeonnant avec du beurre. Réunissez-en 2 autres. Recouvrez le plat de ces feuilles. Déposez la farce au milieu du plat et étalez-la uniformément. Badigeonnez le reste des feuilles de brick avec le beurre. Recouvrez-en la farce. Enfournez pour 40 à 45 min en laissant bien dorer. Servez chaud.

POUR 4 À 6 PERSONNES • PRÉPARATION 45 MIN • CUISSON 55 À 60 MIN • NIVEAU 2

6 Pastilla marocaine

- 1 poulet de 1,5 kg coupé en quatre
- 2 beaux oignons ciselés
- 60 g de beurre coupé en cubes
- 2 gousses d'ail pilées
- 2 cuil. à café de gingembre moulu
- 2 cuil. à café de sel
- 2 cuil. à café de safran des Indes
- 1 cuil. à café de poivre noir du moulin
- 1 pincée de filaments de safran
- 150 g de persil ciselé
- 25 g de coriandre émincée
- 2 cuil. à soupe de jus de citron
- 1½ cuil à soupe de sucre en poudre
- 1 cuil. à café de cannelle + un peu pour saupoudrer
- 10 gros œufs battus + 1 jaune d'œuf pour badigeonner
- 125 g de beurre fondu
- 10 feuilles de brick
- Sucre glace, pour décorer
- 125 ml d'huile végétale

Garniture aux amandes

- 3 cuil. à soupe d'huile végétale
- 375 g d'amandes mondées
- 2 cuil. à soupe de sucre en poudre

Mettez le poulet, les oignons, l'huile, le beurre, l'ail, le gingembre, le sel, le safran des Indes, le poivre et les filaments de safran dans un grand faitout. Couvrez et laissez mijoter à feu doux pendant 30 min. Ajoutez 300 ml d'eau, couvrez et laissez mijoter 45 min.

Préparez la garniture aux amandes. Faites chauffer l'huile à feu modéré dans une grande sauteuse. Faites-y dorer les amandes en remuant. Égouttez-les sur du papier absorbant. Dans un robot ménager, réduisez en poudre les amandes et le sucre.

Ôtez le poulet du faitout et réservez le bouillon. Désossez le poulet et déchirez la viande. Préchauffez le four à 200 °C (th. 6-7). Portez le bouillon à ébullition. Ajoutez le persil, la coriandre, le jus de citron, le sucre et la cannelle. Incorporez progressivement les œufs en mélangeant jusqu'à épaississement. Réservez.

Beurrez une poêle de 30 cm de diamètre. Badigeonnez 9 feuilles de brick avec du beurre et pliez-les en deux. Mettez une feuille dans la poêle, puis superposez les autres feuilles en les décalant légèrement, de manière à recouvrir le fond de la poêle, en pensant à laisser un rebord, pour renfermer la farce. Égouttez le mélange à base d'œufs. Déposez-le sur les feuilles de brick. Recouvrez de poulet, puis de mélange d'amandes. Refermez les feuilles de brick sur la farce en badigeonnant avec le beurre fondu. Badigeonnez les rebords avec le jaune d'œuf et déposez la dernière feuille de brick sur le dessus. Badigeonnez de beurre et de jaune d'œuf. Pratiquez quelques trous sur le dessus. Enfournez pour 15 à 20 min, jusqu'à ce que la pastilla soit bien dorée. Saupoudrez de sucre glace et décorez avec de la cannelle.

POUR 6 À 8 PERSONNES • PRÉPARATION 1 H • CUISSON 2 H • NIVEAU 3

7 Hachis Parmentier

- 1 gros oignon émincé
- 2 carottes coupées en cubes
- 600 g de viande de bœuf hachée
- 400 g de tomates en boîte + le jus
- 500 ml de bouillon de bœuf
- 1 feuille de laurier
- 1 cuil. à soupe de thym frais
- 1 cuil. à soupe d'huile d'olive
- Sel, poivre noir du moulin

Purée

- 1 kg de pommes de terre pelées et coupées en cubes
- 60 g de beurre
- 60 ml de lait
- 2 cuil. à café de crème de raifort
- Sel

Dans une grande poêle, faites chauffer l'huile à feu modéré. Saisissez-y l'oignon et les carottes pendant 3 à 4 min. Ajoutez le bœuf et faites-le dorer pendant 5 min. Ajoutez les tomates, le bouillon de bœuf, le laurier et le thym. Couvrez et laissez mijoter 30 min. Salez et poivrez.

Préparez la purée. Faites cuire les pommes de terre 10 min dans de l'eau bouillante salée. Égouttez-les et écrasez-les avec le beurre et le lait. Incorporez la crème de raifort. Préchauffez le four à 190 °C (th. 6).

À l'aide d'une cuillère, déposez la viande dans un plat allant au four. Recouvrez de purée. Enfournez et laissez dorer 30 min. Servez chaud.

POUR 4 PERSONNES • PRÉPARATION 30 MIN • CUISSON 1 H • NIVEAU 1

8 Tourte à la saucisse
et aux poireaux

- 8 saucisses de porc coupées en petits morceaux
- 4 poireaux émincés
- 1 pomme épluchée et coupée en rondelles
- 1 cuil. à soupe de farine
- 1 cuil. à soupe de moutarde à l'ancienne
- 250 ml de bouillon de bœuf
- 1 pâte feuilletée prête à dérouler
- 1 œuf battu

Préchauffez le four à 200 °C (th. 6-7). Dans une grande poêle, faites dorer les saucisses à feu modéré pendant 5 min. Réservez. Jetez une grande partie de la graisse. Ajoutez les poireaux et faites-les revenir pendant 4 à 5 min. Ajoutez la pomme. Incorporez la farine, la moutarde et le bouillon, puis laissez mijoter de 1 à 2 min jusqu'à l'obtention d'un mélange homogène. Ajoutez les saucisses.

Transvasez dans un grand plat à gratin. Recouvrez de pâte en coupant l'excédent. Badigeonnez d'œuf battu. Enfournez pour 25 à 30 min de cuisson en veillant à bien laisser dorer la croûte. Servez chaud.

POUR 4 À 6 PERSONNES • PRÉPARATION 15 MIN • CUISSON 35 À 40 MIN • NIVEAU 1

9 Croustades au bœuf
et aux champignons

- 500 g de bœuf maigre à braiser coupé en morceaux
- 2 oignons émincés
- 350 g de champignons de Paris
- 1 gousse d'ail ciselée
- 1 cuil. à soupe de thym frais + pour garnir
- 1½ cuil. à soupe de farine
- 375 ml de vin rouge sec
- 1 pâte feuilletée prête à dérouler
- 1 gros œuf battu
- 2 cuil. à soupe d'huile d'olive
- Sel, poivre noir du moulin

Préchauffez le four à 150 °C (th. 5). Faites chauffer 1 cuil. à soupe d'huile dans un grand faitout allant au four. Faites-y dorer la viande en deux fois, pendant 5 min. Ôtez la viande à l'aide d'une écumoire et réservez.

Ajoutez les oignons et faites les dorer pendant 3 à 4 min. Ôtez les oignons et réservez-les. Ajoutez les champignons et saisissez-les pendant 5 min.

Remettez la viande et les oignons dans le faitout, avec l'ail et le thym, puis faites rissoler le tout pendant 1 min. Incorporez la farine. Versez progressivement le vin, sans cesser de remuer, puis portez à ébullition. Salez et poivrez. Couvrez et enfournez pour 2 h de cuisson, jusqu'à ce que la viande soit tendre à cœur.

Ôtez du four. Augmentez légèrement la température, à 170 °C (th. 6). Répartissez la préparation dans 4 ramequins. Coupez la pâte en bandelettes. Déposez les bandelettes sur la farce en formant des croisillons. Badigeonnez d'œuf battu.

Enfournez pour 30 min, jusqu'à ce que la pâte soit croustillante et dorée. Servez chaud, garni d'un peu de thym.

POUR 4 PERSONNES • PRÉPARATION 30 MIN • CUISSON 3 H • NIVEAU 2

10 Croustade au porc

- 1 gros oignon émincé
- 1 gousse d'ail pilée
- 1 cuil. à soupe de thym frais
- 750 g de filet de porc coupé en cubes
- 15 g de beurre
- 250 g de champignons blancs
- 1 cuil. à soupe de farine
- 120 ml de bouillon de poule
- 120 ml de crème fraîche
- Le zeste de 1 citron finement râpé
- 1 pâte feuilletée prête à dérouler
- 60 ml de lait
- 2 cuil. à soupe d'huile végétale
- Sel, poivre noir du moulin

Préchauffez le four à 200 °C (th. 6-7). Faites chauffer 1 cuil. à soupe d'huile dans une grande poêle. Faites-y revenir l'oignon, l'ail et le thym pendant 3 à 4 min. Versez dans un plat à gratin de 1,25 litre de contenance.

Dans la même poêle, faites chauffer l'huile restante à feu modéré. Faites-y dorer la viande pendant 5 min, puis transvasez-la dans le plat à gratin. Dans la même poêle, faites fondre 1 noix de beurre et faites-y revenir les champignons pendant 5 min. Mettez-les dans le plat allant au four. Dans la poêle, versez la farine, incorporez au fouet le bouillon de poule, la crème et le zeste de citron. Salez et poivrez et versez dans le plat à gratin.

Déposez la pâte feuilletée sur le dessus du plat. Badigeonnez de lait, enfournez et laissez dorer de 30 à 40 min. Servez chaud.

POUR 4 PERSONNES • PRÉPARATION 15 MIN • CUISSON 45 À 55 MIN • NIVEAU 1

11 Bœuf Wellington

- 1 kg de bœuf à braiser coupé en morceaux
- 3 cuil. à soupe de farine
- 750 ml de bouillon de bœuf
- 1 cuil. à soupe de thym frais
- 30 g de beurre
- 2 échalotes finement émincées
- 2 gousses d'ail émincées
- 250 g de champignons portobello finement émincés
- 3 cuil. à soupe d'eau-de-vie
- 12 fines tranches de jambon de Parme
- 1 gros œuf battu
- 1 pâte feuilletée prête à dérouler
- 2 cuil. à soupe d'huile végétale
- Sel, poivre noir du moulin

Faites chauffer l'huile à feu vif dans un faitout. Salez et poivrez la viande, puis colorez-la sur toutes ses faces pendant 5 min. Ajoutez la farine, le bouillon et le thym. Couvrez et laissez mijoter jusqu'à ce que la viande soit tendre à cœur, pendant 2 à 3 h.

Préchauffez le four à 200 °C (th. 6-7). Faites fondre le beurre dans une poêle à feu modéré. Faites-y revenir les échalotes et l'ail pendant 3 à 4 min. Ajoutez les champignons et l'eau-de-vie et faites-les revenir jusqu'à ce que la poêle soit bien sèche. Déposez 1 bonne cuillerée de garniture aux champignons sur chaque tranche de jambon. Repliez le jambon autour de la garniture de manière à former de petits paquets. Transvasez la viande dans un plat à gratin. Ajoutez les paquets de jambon.

Badigeonnez les bords du plat avec l'œuf battu, puis recouvrez avec la pâte feuilletée. Découpez les morceaux qui dépassent. Pratiquez un trou pour que l'air puisse s'échapper. Enfournez et laissez dorer 45 min. Servez chaud.

POUR 4 PERSONNES • PRÉPARATION 55 MIN • CUISSON 2 H 45 À 3 H 45 • NIVEAU 2

12 Croustade du berger

- 6 pommes de terre coupées en morceaux
- 1 gros oignon émincé
- 500 g de viande d'agneau hachée
- 1 cuil. à café de piments séchés pilés
- 3 cuil. à soupe de concentré de tomate
- 2 ou 3 cuil. à soupe de sauce Worcestershire
- 3 cuil. à soupe de ketchup
- 15 g de beurre + un peu éventuellement pour le dessus
- 3 cuil. à soupe de lait
- 1 cuil. à soupe de persil ciselé, pour garnir
- 2 cuil. à soupe d'huile d'olive
- Sel, poivre blanc du moulin

Faites cuire les pommes de terre dans de l'eau bouillante salée pendant 20 min.

Faites chauffer l'huile dans une grande poêle à feu modéré. Faites-y revenir l'oignon pendant 3 à 4 min. Ajoutez la viande d'agneau et colorez-la pendant 4 à 5 min.

Ajoutez les piments, le concentré de tomate, la sauce Worcestershire et le ketchup. Salez et poivrez. Laissez mijoter à feu doux pendant 15 min.

Préchauffez le four à 190 °C (th. 6). Égouttez les pommes de terre et écrasez-les avec le beurre et le lait. Salez et poivrez la purée obtenue.

Transvasez le hachis de viande dans un plat à gratin et recouvrez de purée. Déposez 1 ou 2 noisettes de beurre sur la purée. Enfournez et laissez dorer de 25 à 30 min. Servez chaud, garni de persil.

POUR 4 PERSONNES • PRÉPARATION 15 MIN • CUISSON 45 À 55 MIN • NIVEAU 1

Traditionnellement, la croustade du berger est réalisée avec des restes d'agneau rôti. Si vous n'aimez pas les plats épicés, n'utilisez pas de piments : ce sera tout aussi savoureux !

13 Tourtes au bœuf haché

- 1 pâte maison (voir page 250)
- 1 oignon ciselé
- 500 g de viande de bœuf hachée
- 180 ml de bouillon de bœuf
- 1 cuil. à soupe de fécule de maïs
- 1 cuil. à soupe de sauce Worcestershire
- 1 petit œuf légèrement battu
- Ketchup, pour accompagner
- 2 cuil. à soupe d'huile végétale
- Sel, poivre noir du moulin

Préparez la pâte. Dans une sauteuse, faites chauffer l'huile à feu modéré. Faites-y suer l'oignon pendant 3 à 4 min. Ajoutez le bœuf et faites-le dorer de 4 à 5 min. Ajoutez le bouillon, la fécule de maïs, la sauce Worcestershire, du sel et du poivre. Laissez mijoter jusqu'à épaississement.

Préchauffez le four à 220 °C (th. 7-8). Graissez 4 petits plats à tarte de 12 cm de diamètre. Étalez la pâte sur une épaisseur de 3 mm. Découpez 4 ronds de pâte en utilisant un des plats comme gabarit. Découpez 4 couvercles légèrement plus larges et réservez-les.

Garnissez les moules à tarte avec la pâte, puis ajoutez la farce. Badigeonnez les bords avec de l'eau et mettez les couvercles. Écrasez les bords à l'aide d'une fourchette pour refermer les tourtes. Pratiquez un petit trou au milieu de chaque tourte. Badigeonnez d'œuf battu. Enfournez pour 20 à 25 min, jusqu'à ce que les tourtes soient gonflées et dorées. Servez chaud avec quelques gouttes de ketchup.

POUR 4 PERSONNES • PRÉPARATION 1 H • CUISSON 35 À 40 MIN • NIVEAU 2

14 Tourtes à l'anglaise

- 1 pâte maison (voir page 250)
- 2 oignons ciselés
- 3 gousses d'ail ciselées
- 750 g de bœuf à braiser coupé en petits morceaux
- 2 cuil. à soupe de farine
- 3 tiges de thym
- 1 feuille de laurier
- 375 ml de bière brune
- 250 ml de bouillon de bœuf
- 2 cuil. à café de moutarde anglaise
- 2 cuil. à soupe de sauce Worcestershire
- 2 cuil. à soupe d'huile végétale
- Sel, poivre noir du moulin
- Ketchup, pour accompagner

Préparez la pâte. Dans une sauteuse, faites chauffer l'huile à feu modéré. Faites-y suer les oignons et l'ail. Tournez la viande dans la farine, salez-la et poivrez-la. Faites-la dorer dans la sauteuse. Ajoutez le thym, le laurier, la bière, le bouillon, la moutarde et la sauce Worcestershire. Laissez mijoter pendant 2 h. Retirez le laurier et le thym.

Préchauffez le four à 220 °C (th. 7). Graissez 4 petits plats à tarte de 12 cm de diamètre. Étalez la pâte sur une épaisseur de 3 mm. Découpez 4 ronds de pâte en utilisant un des plats comme gabarit. Découpez 4 couvercles légèrement plus larges et réservez-les.

Garnissez les moules à tarte avec la pâte, puis ajoutez la farce. Badigeonnez les bords avec de l'eau et mettez les couvercles. Écrasez les bords à l'aide d'une fourchette pour refermer les tourtes. Pratiquez un petit trou au milieu de chaque tourte. Enfournez pour 20 à 25 min. Servez chaud avec quelques gouttes de ketchup.

POUR 4 PERSONNES • PRÉPARATION 1 H • CUISSON 2 H 30 • NIVEAU 2

15 Pâté en croûte aux œufs

- 5 gros œufs
- 750 g de saucisses de porc pelées et émiettées
- 2 pommes épluchées, épépinées et râpées
- 4 oignons nouveaux ciselés
- 2 cuil. à soupe de persil ciselé
- 2 cuil. à soupe de ciboulette ciselée
- 3 cuil. à soupe de crème fraîche ou de yaourt nature
- 1 cuil. à soupe de moutarde à l'ancienne
- 150 g de chapelure fine
- 50 g de mimolette mi-vieille râpée
- Sel, poivre noir du moulin

Pâte

- 250 g de beurre salé bien froid et coupé en dés
- 500 g de farine
- 1 œuf battu

Préparez la pâte. Écrasez le beurre dans la farine. Incorporez l'œuf, un peu d'eau et mélangez jusqu'à l'obtention d'une pâte ferme. Emballez dans du film alimentaire et laissez reposer 30 min au réfrigérateur.

Préchauffez le four à 200 °C (th. 6-7). Mettez 4 œufs dans une casserole d'eau froide et portez à ébullition. Laissez-les cuire doucement pendant 3 min, pour qu'ils soient mollets. Laissez refroidir, écalez et réservez.

Mettez la chair à saucisse dans un saladier. Ajoutez les pommes, les oignons nouveaux, le persil, la ciboulette, la crème fraîche, la moutarde, la chapelure et le fromage. Salez et poivrez.

Étalez la moitié de la pâte sur un plan de travail fariné. Découpez un rectangle de 15 cm x 30 cm. Placez la moitié de la chair à saucisse au centre de la pâte en laissant une bordure de 5 cm. Alignez les œufs écalés sur la farce. Couvrez avec la farce restante.

Fouettez le dernier œuf dans un bol. Badigeonnez-en les bordures de la pâte. Étalez la pâte restante de manière à recouvrir la farce. Appuyez sur les côtés pour bien refermer le pâté. Découpez la pâte superflue et appuyez sur les bords à l'aide d'une fourchette. Badigeonnez avec l'œuf et pratiquez plusieurs entailles sur le dessus pour que la vapeur puisse s'échapper. Enfournez pour 1 h et laissez bien dorer. Servez chaud.

POUR 4 À 6 PERSONNES • PRÉPARATION 30 MIN + 30 MIN AU RÉFRIGÉRATEUR • CUISSON 1 H • NIVEAU 2

16 Tourte au bacon
et aux légumes

- 1 gros oignon émincé
- 6 tranches de bacon
- 500 g de pommes de terre nouvelles coupées en deux
- 20 tomates cerise coupées en deux
- 150 g de petits pois surgelés
- 2 cuil. à soupe de persil ciselé
- 8 gros œufs
- 125 ml de crème fraîche
- 1 cuil. à soupe d'huile d'olive
- Sel, poivre noir du moulin

Préchauffez le four à 200 °C (th. 6-7). Faites chauffer l'huile à feu modéré dans une grande poêle. Faites suer l'oignon pendant 3 à 4 min. Ajoutez le bacon et faites-le rissoler pendant 3 à 4 min.

Faites cuire les pommes de terre dans de l'eau bouillante pendant 5 min. Égouttez-les. Tapissez un plat à gratin d'une feuille de papier sulfurisé. Mélangez-y les pommes de terre, les oignons et le bacon. Couvrez avec les tomates, les petits pois et le persil. Battez les œufs et la crème, salez et poivrez. Versez ce mélange dans le plat à gratin. Enfournez pour 20 min de cuisson, jusqu'à ce que la préparation prenne et dore. Démoulez à l'aide de la feuille de papier sulfurisé et servez chaud.

POUR 4 PERSONNES • PRÉPARATION 15 MIN • CUISSON 35 À 40 MIN • NIVEAU 1

17 Feuilleté de bœuf à l'oignon

- 30 g de farine + 15 g
- 1 kg de macreuse coupée en petits morceaux
- 30 g de beurre
- 4 gousses d'ail pilées
- 250 g de champignons de Paris
- 3 beaux oignons émincés
- 1 cuil. à soupe de sucre en poudre
- 250 ml de bouillon de bœuf
- 375 ml de bière brune
- 1 cuil. à café de concentré de tomate
- Thym frais
- 3 cuil. à soupe de sauce Worcestershire
- 1 pâte feuilletée prête à dérouler
- 3 cuil. à soupe d'huile végétale
- Sel, poivre noir du moulin

Salez et poivrez la farine. Retournez-y la viande. Faites chauffer 2 cuil. à soupe d'huile à feu vif dans une grande sauteuse. Faites-y colorer la viande et réservez. Ajoutez le beurre, l'ail et les champignons, puis faites revenir le tout pendant 2 min. Réservez. Faites chauffer l'huile restante à feu modéré. Ajoutez les oignons et le sucre, puis laissez lentement caraméliser pendant 20 à 30 min. Incorporez 1 cuil. à soupe de farine, le bouillon, la bière, le concentré de tomate, le thym, la sauce Worcestershire, la viande et les champignons. Couvrez et laissez mijoter pendant 1 h 30, jusqu'à ce que la viande soit cuite.

Préchauffez le four à 220 °C (th. 7). Transvasez la farce dans un plat ovale de 2 litres de contenance. Disposez la pâte sur le dessus. Découpez la pâte superflue et pratiquez un trou pour laisser la vapeur s'échapper. Enfournez pour 30 à 35 min de cuisson et faites bien dorer. Servez chaud.

POUR 4 À 6 PERSONNES • PRÉPARATION 25 MIN • CUISSON 2 H 30 • NIVEAU 2

18 Feuilletés d'agneau
à l'anglaise

- 2 cuil. à soupe de farine
- 4 petits jarrets d'agneau
- 30 g de beurre
- 2 poireaux émincés
- 2 carottes coupées en dés
- 2 petits navets coupés en dés
- 1 feuille de laurier
- 1 cuil. à café de concentré de tomate
- 1 cuil. à soupe de vinaigre de vin blanc
- 1,25 litres de bouillon de poule chaud
- 1 petit bouquet de menthe émincé
- 2 pâtes feuilletées
- 1 gros œuf battu
- Chutney, pour accompagner
- Sel, poivre noir du moulin

Versez la farine dans une grande assiette plate, salez-la et poivrez-la. Retournez-y la viande. Dans une grande sauteuse, faites chauffer le beurre à feu modéré et colorez la viande sur toutes ses faces. Ôtez et réservez.

Mettez les légumes dans le beurre et le jus de cuisson, dans la sauteuse. Ajoutez le laurier, le concentré de tomate et le vinaigre, puis mélangez bien. Remettez la viande dans la sauteuse et versez le bouillon. Couvrez et laissez mijoter pendant au moins 2 h, jusqu'à ce que la viande se détache de l'os. Rectifiez l'assaisonnement. Laissez le plat refroidir. Égouttez, jetez le bouillon et coupez la viande en gros morceaux. Mettez-la dans un saladier et mélangez avec les légumes et la menthe.

Préchauffez le four à 180 °C (th. 6). Couvrez une lèchefrite avec une feuille de papier sulfurisé. Découpez des disques de pâte de 20 cm de diamètre. Badigeonnez-les avec l'œuf battu à l'aide d'un pinceau. Disposez la farce au milieu de chaque disque de pâte. Rabattez les bords sur la farce et pincez la pâte pour bien la sceller. Badigeonnez avec l'œuf battu.

Placez les petits feuilletés sur la feuille de papier sulfurisé. Enfournez pour 30 à 45 min de cuisson et faites bien dorer. Servez chaud avec du chutney.

POUR 4 À 8 PERSONNES • PRÉPARATION 15 MIN • CUISSON 3 H • NIVEAU 2

19 Flans aux poireaux
et à la pancetta

- 2 poireaux émincés
- 250 g de pancetta hachée
- 10 gros œufs
- 125 ml de crème légère
- 1 cuil. à soupe de moutarde à l'ancienne
- 2 cuil. à soupe d'huile d'olive
- Sel, poivre noir du moulin

Préchauffez le four à 180 °C (th. 6). Graissez 6 ramequins avec un peu d'huile.

Faites chauffer de l'huile dans une grande poêle à feu modéré. Faites-y fondre les poireaux et la pancetta pendant 3 à 4 min. Pendant ce temps, battez 4 œufs avec la crème et la moutarde dans un petit saladier. Salez et poivrez. Incorporez le mélange à base de poireaux. Mélangez bien.

Déposez le mélange à l'aide d'une cuillère à soupe dans les ramequins. Cassez un œuf sur chaque ramequin. Enfournez pour 15 à 20 min de cuisson, pour que la préparation prenne et dore. Laissez refroidir 5 min. Servez chaud.

POUR 6 PERSONNES • PRÉPARATION 15 MIN • CUISSON 20 À 25 MIN • NIVEAU 1

20 Friands à la viande
et aux légumes

- 1 pâte maison (voir page 250)
- 500 g de macreuse finement émincée
- 1 bel oignon ciselé
- 2 pommes de terre épluchées et coupées en dés
- 300 g de légumes surgelés
- 1 cuil. à café de sel
- 1 cuil. à café de poivre du moulin
- 1 œuf battu

Confectionnez la pâte. Préchauffez le four à 200 °C (th. 6-7). Couvrez une lèchefrite avec une feuille de papier sulfurisé. Dans un saladier, mélangez la viande, l'oignon, les pommes de terre, les légumes, le sel et le poivre. Étalez finement la pâte sur un plan de travail fariné. Découpez 4 disques de 23 cm de diamètre. Placez un quart de la farce au milieu de chaque cercle. Badigeonnez les extrémités avec l'œuf. Relevez les bords de la pâte et pincez-les pour les souder.

Déposez les friands sur la feuille de papier sulfurisé. Enfournez pour 10 min, puis réduisez la température à 180 °C (th. 6) et poursuivez la cuisson jusqu'à ce qu'ils soient dorés. Servez chaud.

POUR 4 PERSONNES • PRÉPARATION 45 MIN • CUISSON 55 À 60 MIN • NIVEAU 2

1

Poulet aux câpres

2

Roulés de poulet farcis au pesto

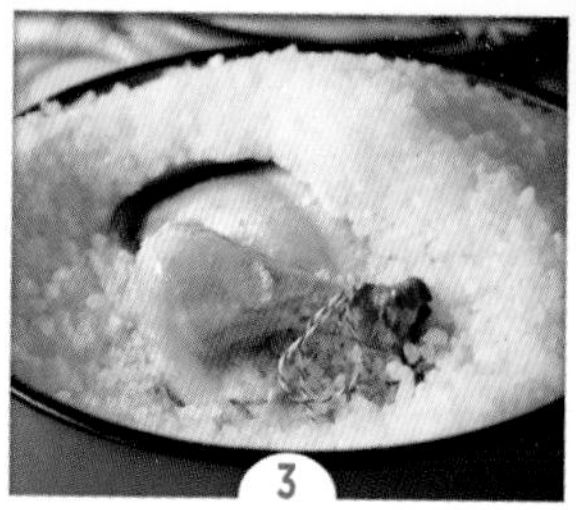

3

Poulet en croûte de sel

4

Canard rôti aux olives et aux xérès

5

Pintade rôtie au romarin et au citron

6

Cuisses de poulet farcies

7

Poulet frit à la toscane

8

Beignets de poulet

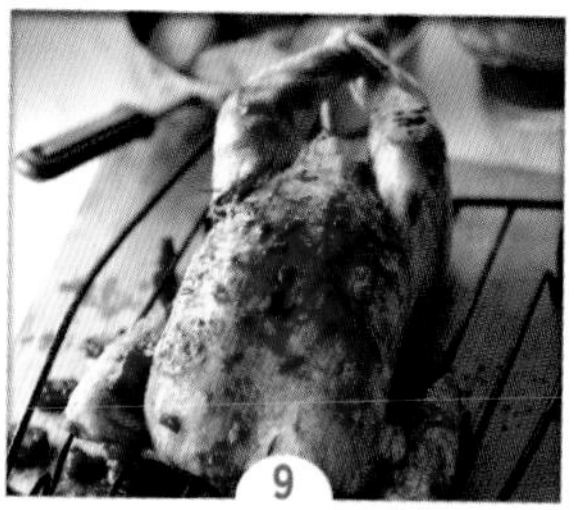

9

Poulet à la toscane

10

Roulés de porc à la chinoise aux pommes

11

Médaillons de porc aux fruits secs

12
Rôti de dinde à la grenade

13
Tajine d'agneau aux dattes

14
Rôti de porc aux noix

Grandes occasions

15
Cochon de lait rôti aux légumes

16
Côtelettes de porc aux coings pochés

17
Côtelettes de porc à la gremolata

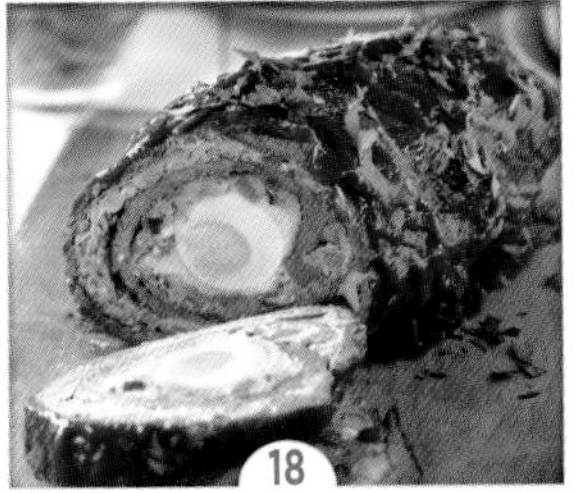
18
Roulé de veau à la sicilienne

19
Biftecks aux patates douces et aux champignons

20
Côtelettes d'agneau à la purée à l'ail

1 Poulet aux câpres

- 150 g de farine
- 4 escalopes de poulet
- 90 g de beurre
- 1 cuil. à soupe de câpres égouttées
- 75 ml de jus de citron
- 1 cuil. à soupe de zeste de citron fin
- Légumes cuits à la vapeur, pour accompagner
- Sel, poivre noir du moulin

Salez et poivrez la farine. Retournez les escalopes dans la farine. Tapotez-les pour ôter l'excédent. Dans une grande poêle posée sur feu modéré, faites-les rissoler de 6 à 8 min de chaque côté dans 30 g de beurre, jusqu'à ce qu'elles soient dorées et cuites à cœur. Transférez dans les assiettes et gardez au chaud.

Mettez le beurre restant, les câpres, le jus et le zeste de citron dans la poêle. Laissez mijoter de 2 à 3 min à feu doux, en mélangeant régulièrement, jusqu'à l'épaississement de la sauce. Salez et poivrez. Arrosez les escalopes de sauce et servez chaud avec les légumes.

POUR 4 PERSONNES • PRÉPARATION 10 MIN • CUISSON 20 MIN • NIVEAU 1

2 Roulés de poulet
farcis au pesto

- 4 tranches de bacon
- 4 escalopes de poulet
- 1 cuil. à soupe de jus de citron
- 30 g de beurre fondu
- Sel, poivre noir du moulin

Farce au pesto

- 60 g de chapelure fraîche
- 1 gousse d'ail épluchée
- 45 g de pignons de pin
- 1 cuil. à soupe de jus de citron
- 1 petit bouquet de persil ou de basilic ciselé
- Légumes à la vapeur, pour accompagner
- 4 cuil. à soupe d'huile d'olive
- Sel, poivre noir du moulin

Préchauffez le four à 180 °C (th. 6). Coupez les tranches de bacon à la taille des escalopes. Réservez les chutes. Attendrissez les escalopes à l'aide d'un pilon ou du fond d'une casserole. Arrosez de jus de citron, salez et poivrez.

Préparez la farce au pesto. Dans un robot ménager, mixez les ingrédients de la farce et les chutes de bacon jusqu'à l'obtention d'un mélange homogène.

Étalez la farce sur les escalopes et enroulez-les. Enroulez une tranche de bacon autour de chaque roulé en veillant à ce que les extrémités se superposent. Refermez les roulés en les transperçant avec une brochette en bois. Beurrez un plat à gratin. Déposez-y les roulés et badigeonnez-les de beurre. Enfournez-les pour 30 min, jusqu'à ce qu'ils soient bien dorés. Coupez-les en rondelles et servez aussitôt avec des légumes.

POUR 4 À 6 PERSONNES • PRÉPARATION 20 MIN • CUISSON 30 MIN • NIVEAU 2

3 Poulet en croûte de sel

- 3 tiges de sauge fraîche
- 3 tiges de romarin frais
- 3 gousses d'ail entières
- 1 poulet de 1,5 à 2 kg
- 5 kg de gros sel

Préchauffez le four à 190 °C (th. 6). Couvrez le fond d'un plat à gratin à bords hauts de 1,5 kg de gros sel.

Ficelez les herbes et fourrez-les à intérieur du poulet, avec l'ail.

Déposez le poulet dans le plat et couvrez-le avec le reste du sel. Le poulet doit être entièrement recouvert.

Enfournez pour 1 h 30 de cuisson. Le sel forme une croûte ferme. Ôtez du four et servez directement dans le plat à gratin. Cassez la croûte et retirez le poulet. Découpez-le et servez aussitôt.

POUR 4 PERSONNES • PRÉPARATION 10 MIN • CUISSON 1 H 30 • NIVEAU 1

La cuisson au sel relève le goût de la viande et du poisson. Une croûte salée et croustillante se forme sur l'extérieur tandis que l'intérieur reste tendre et juteux. Les amateurs peuvent déguster la croûte de sel. Étonnamment, ce mode de cuisson ne donne pas une viande trop salée.

4 Canard rôti aux olives
et aux xérès

- 50 g de grosses olives vertes dénoyautées et émincées
- 1 canard de 2,5 kg bien dégraissé
- 1 oignon grossièrement ciselé
- 2 carottes grossièrement ciselées
- 3 gousses d'ail ciselées
- 180 ml de bouillon de poule
- 60 ml de vin blanc sec ou de xérès
- ¾ de cuil. à café de thym séché
- 1 cuil. à soupe de persil ciselé
- 1 cuil. à soupe d'huile d'olive
- Sel, poivre noir du moulin

Préchauffez le four à 180 °C (th. 6). Faites tremper les olives dans un peu d'eau chaude. Salez et poivrez l'intérieur et l'extérieur du canard. Troussez le canard à l'aide de ficelle de cuisine. Déposez-le sur un plat allant au four et percez-le à l'aide d'une fourchette. Enfournez pour 1 h de cuisson.

Dans une cocotte en terre cuite, faites revenir l'oignon, les carottes et l'ail dans un peu d'huile, pendant 5 à 10 min. Découpez le canard et mettez-le dans la cocotte. Éliminez le gras du plat de cuisson et déglacez avec le bouillon de poule en grattant pour détacher les sucs. Versez la sauce obtenue dans la cocotte. Égouttez les olives, ajoutez-les dans la cocotte, avec le vin, le thym et le persil. Salez et poivrez. Couvrez et laissez cuire 1 h, jusqu'à ce que le canard soit cuit à cœur. Servez chaud.

POUR 4 PERSONNES • PRÉPARATION 30 MIN • CUISSON 2 H • NIVEAU 2

5 Pintade rôtie
au romarin et au citron

- 2 cuil. à soupe de jus de citron
- 1 cuil. à soupe de romarin frais ciselé
- 1 gousse d'ail épluchée et ciselée
- 2 pintades coupées en deux
- Pommes de terre cuites au four, pour accompagner
- 4 cuil. à soupe d'huile d'olive
- Sel, poivre noir du moulin

Dans un bol, mélangez l'huile, le jus de citron, le romarin et l'ail. Salez et poivrez. Mettez les pintades dans un saladier et arrosez de marinade. Retournez-les bien pour les imprégner. Laissez mariner 4 h au réfrigérateur.

Préchauffez le four à 180 °C (th. 6). Mettez les pintades dans un plat allant au four. Laissez cuire 1 h, jusqu'à ce qu'elles soient cuites à cœur. Arrosez avec le jus de cuisson toutes les 15 min en cours de cuisson. Servez chaud avec les pommes de terre au four.

POUR 4 PERSONNES • PRÉPARATION 10 MIN + 4 H POUR LA MARINADE • CUISSON 1 H • NIVEAU 1

6 Cuisses de poulet farcies

- 4 belles cuisses de poulet
- 500 g de saucisses de porc italiennes pelées et émiettées
- Truffes noires coupées en dés (facultatif)
- 75 g de beurre
- 3 ou 4 tiges de romarin
- 750 g de pommes de terre épluchées
- 60 g de parmesan râpé
- 3 cuil. à soupe de lait
- Sel, poivre noir du moulin

Préchauffez le four à 180 °C (th. 6). À l'aide d'un couteau bien aiguisé, ouvrez en deux les cuisses de poulet et retirez l'os. Laissez la partie inférieure de l'os, qui servira de poignée.

Mettez la chair à saucisse et, le cas échéant, les truffes dans un saladier, puis mélangez bien le tout. Farcissez les cuisses de poulet. Maintenez-les à l'aide de ficelle de cuisine. Déposez-les dans un plat allant au four en ajoutant 45 g de beurre et le romarin. Salez et poivrez. Enfournez pour 40 min de cuisson, jusqu'à ce que la viande soit bien cuite.

Pendant ce temps, faites cuire les pommes de terre dans une casserole d'eau bouillante salée. Égouttez-les et écrasez-les, en ajoutant le beurre restant, le parmesan et le lait. Servez le poulet chaud, avec la purée de pommes de terre.

POUR 4 PERSONNES • PRÉPARATION 30 MIN • CUISSON 40 MIN • NIVEAU 3

Vous pouvez demander au boucher de désosser les cuisses de poulet. Il s'agit d'une recette italienne, mais vous pouvez remplacer les saucisses italiennes par n'importe quelles saucisses de porc très parfumées.

7 Poulet frit à la toscane

- 1,5 kg de poulet découpé
- 3 cuil. à soupe de persil frais ciselé
- Le jus de 1 citron
- 2 gros œufs
- 500 ml d'huile de tournesol, pour la cuisson
- 2 cuil. à soupe de farine
- 3 cuil. à soupe d'huile d'olive
- Sel, poivre noir du moulin

Mettez le poulet découpé et le persil dans un saladier. Ajoutez le jus de citron et l'huile d'olive. Salez et poivrez. Couvrez et laissez mariner 2 h au réfrigérateur.

Cassez les œufs et fouettez-les dans un bol. Faites chauffer l'huile de tournesol dans une grande poêle, à feu modéré. Égouttez les morceaux de poulet. Tournez-les dans la farine en veillant à bien les imprégner. Tapotez-les pour ôter l'excédent de farine.

Retournez les morceaux de poulet dans l'œuf battu. Faites-les frire en plusieurs fois dans l'huile, pendant 10 à 15 min, jusqu'à ce qu'ils soient bien dorés. Laissez égoutter sur du papier absorbant et servez chaud.

POUR 4 À 6 PERSONNES • PRÉPARATION 15 MIN
+ 2 H POUR LA MARINADE • CUISSON 20 À 30 MIN • NIVEAU 2

8 Beignets de poulet

- 1,5 kg de morceaux de poulet
- Le jus de 3 citrons
- 75 g de farine
- 2 œufs légèrement battus
- 2 gousses d'ail pelées entières
- 500 ml d'huile d'olive, pour la cuisson
- Sel, poivre noir du moulin

Salez et poivrez les morceaux de poulet. Mettez-les dans un saladier et arrosez-les de jus de citron.
Couvrez et laissez mariner 2 h au réfrigérateur.

Pressez les morceaux de poulet pour ôter l'excédent de jus. Retournez-les dans la farine, puis dans les œufs battus.

Versez l'huile dans une sauteuse, colorez légèrement l'ail, puis jetez-le. Dans la même huile, faites revenir le poulet en plusieurs fois, pendant 10 à 15 min, jusqu'à ce qu'il soit bien doré. Laissez égoutter sur du papier absorbant et servez chaud.

POUR 4 PERSONNES • PRÉPARATION 15 MIN + 2 H POUR LA MARINADE • CUISSON 20 À 30 MIN • NIVEAU 2

9 Poulet à la toscane

- 90 g de pancetta coupée en fines tranches
- 2 tiges de romarin
- 1,5 kg de poulet
- 60 g de prosciutto haché
- 2 gousses d'ail épluchées et émincées
- 90 ml de bouillon environ
- 1 cuil. à soupe de vinaigre de vin blanc
- 750 g de pommes de terre coupées en morceaux
- Sel, poivre noir du moulin

Fourrez la pancetta et le romarin à l'intérieur du poulet. Salez et poivrez. Faites chauffer une grande cocotte ou un faitout à feu modéré. Faites-y légèrement dorer le prosciutto et l'ail pendant 5 min.

Arrosez de bouillon et de vinaigre, puis portez à ébullition. Couvrez et laissez mijoter à feu modéré pendant 1 h. Ôtez le couvercle et ajoutez les pommes de terre et un peu de bouillon pour éviter que le poulet n'adhère. Couvrez et laissez sur le feu jusqu'à ce que les pommes de terre soient cuites, pendant 35 à 40 min. Servez chaud.

POUR 6 PERSONNES • PRÉPARATION 15 MIN • CUISSON 1 H 45 • NIVEAU 2

En Toscane, on cuit traditionnellement le poulet à la cocotte. Jusqu'à la seconde moitié du XXe siècle, de nombreux foyers n'étaient pas équipés de four.

10 Roulés de porc à la chinoise
aux pommes

- 2 pommes épluchées, vidées et grossièrement émincées
- 60 g de raisins secs
- Le jus de ½ citron
- 1 kg de filet de porc coupé en tranches de 5 mm d'épaisseur
- 120 ml de sauce aux prunes chinoise
- 120 ml de jus de pomme
- 1 cuil. à soupe de sauce soja claire
- 1 cuil. à soupe de miel
- Des haricots mange-tout, pour accompagner

Préchauffez le four à 180 °C (th. 6). Dans un grand bol, mélangez les pommes, les raisins secs et le jus de citron. Badigeonnez les tranches de viande avec la sauce aux prunes. Déposez un peu de farce aux pommes au centre de chaque tranche. Enroulez les tranches sur elles-mêmes et maintenez-les avec de la ficelle de cuisine. Déposez les roulés dans un plat allant au four, côté lisse sur le dessus.

Dans un bol, mélangez le jus de pomme, la sauce soja et le miel, puis arrosez-en les roulés. Couvrez avec une feuille de papier d'aluminium. Enfournez pour 20 à 25 min de cuisson, jusqu'à ce que la viande soit cuite à cœur. Servez chaud avec les haricots cuits à la vapeur.

POUR 6 À 8 PERSONNES • PRÉPARATION 20 MIN • CUISSON 20 À 25 MIN • NIVEAU 2

11 Médaillons de porc
aux fruits secs

- 1 pomme épluchée, vidée et coupée en dés
- 1 poire épluchée, vidée et coupée en dés
- 120 ml de vin blanc sec
- 120 ml de bouillon de poule
- 100 g de fruits secs (abricots, pruneaux)
- 1 cuil. à café de cannelle moulue
- 500 g de filet de porc coupé en médaillons de 5 mm d'épaisseur
- 1 cuil. à soupe d'huile d'olive
- 2 cuil. à soupe d'eau-de-vie

Dans une poêle, mélangez la pomme, la poire, le vin et le bouillon de poule. Portez à ébullition. Laissez mijoter à feu doux jusqu'à ce que les fruits soient moelleux, pendant 10 min. Ajoutez les fruits secs et la cannelle. Laissez mijoter jusqu'à ce que les fruits soient bien gonflés, pendant 30 min. Ôtez du feu.

Dans une grande poêle, faites chauffer l'huile à feu modéré. Faites-y revenir les médaillons de porc pendant 5 min, jusqu'à ce qu'ils soient bien dorés.
Ôtez la viande de la poêle et réservez. Augmentez le feu, versez l'eau-de-vie et laissez-la s'évaporer. Ensuite, mettez à feu doux, mouillez avec un peu de jus de cuisson et remuez constamment pour déglacer la poêle.
Incorporez le mélange de fruits et réchauffez le tout pendant 2 min. Remettez les médaillons de porc dans la poêle et réchauffez-les pendant 5 min, en remuant de temps en temps. Servez aussitôt.

POUR 4 PERSONNES • PRÉPARATION 20 MIN • CUISSON 50 MIN • NIVEAU 2

12 Rôti de dinde à la grenade

- 1 jeune dinde tendre de 2 kg, avec le foie
- 60 g de beurre
- 4 feuilles de sauge fraîches ciselées
- 3 grenades entières bien mûres
- Pommes de terre nouvelles cuites à la vapeur ou à l'eau, pour accompagner
- 150 ml d'huile d'olive
- Sel, poivre noir du moulin

Préchauffez le four à 180 °C (th. 6). Salez l'intérieur de la volaille et déposez-y 30 g de beurre. Troussez la volaille à l'aide de ficelle de cuisine.

Déposez la dinde dans un plat allant au four à hauts rebords. Badigeonnez du beurre restant, arrosez avec 120 ml d'huile et parsemez de sauge.

Enfournez pour 3 h en veillant à arroser régulièrement avec le jus de cuisson.

Mettez les graines de 2 grenades dans un robot-ménager et mixez jusqu'à l'obtention d'une pulpe homogène. Après 1 h 30 de cuisson, arrosez la volaille avec la moitié de la pulpe de grenade.

Rincez et nettoyez le foie. Émincez-le grossièrement et faites-le rissoler à feu vif dans l'huile restante. Ajoutez le reste de pulpe de grenade, salez et poivrez, puis retirez du feu.

Une fois la dinde cuite, coupez-la en 10 à 12 morceaux. Déposez-la dans un plat allant au four et arrosez-la de sauce à la grenade. Parsemez des graines de la dernière grenade et enfournez pour 10 min de plus. Servez avec le foie et des pommes de terre nouvelles.

POUR 6 PERSONNES • PRÉPARATION 30 MIN • CUISSON 3 H • NIVEAU 2

13 Tagine d'agneau aux dattes

- 90 g de beurre
- 2 kg de gigot d'agneau désossé et coupé en dés
- 5 oignons ciselés
- 2 gousses d'ail ciselées
- 1 cuil. à café de gingembre moulu
- 1 cuil. à café de safran moulu
- 1 pincée de sel
- 1 kg de dattes dénoyautées
- 3 cuil. à soupe de miel
- 1 cuil. à café de cannelle moulue
- 1 cuil. à soupe de graines de sésame
- 1 cuil. à soupe d'amandes
- 1 cuil. à soupe de persil frais haché

Faites fondre le beurre dans une grande casserole à feu modéré. Colorez légèrement l'agneau, les oignons et l'ail pendant 8 à 10 min. Ajoutez le gingembre, le safran et le sel. Versez 375 ml d'eau. Couvrez et laissez mijoter à feu modéré pendant 35 à 40 min, jusqu'à ce que la viande soit tendre.

Ajoutez les dattes, le miel et la cannelle. Ôtez le couvercle et laissez cuire jusqu'à réduction de la sauce, pendant 12 à 15 min. Parsemez de graines de sésame, d'amandes et de persil. Servez aussitôt.

POUR 6 À 8 PERSONNES • PRÉPARATION 20 MIN • CUISSON 60 MIN • NIVEAU 2

14 Rôti de porc aux noix

- 1 filet de porc de 1,5 kg
- 15 g de beurre
- Noix muscade fraîchement râpée
- 1 cuil. à soupe d'eau-de-vie
- 1 litre de lait + un peu plus éventuellement
- 150 g de noix
- Sel, poivre noir du moulin

Salez et poivrez le filet de porc et laissez-le reposer au réfrigérateur pendant 1 h. Préchauffez le four à 200 °C (th. 6-7). Badigeonnez le filet avec du beurre, puis assaisonnez avec la noix muscade. Faites chauffer une grande poêle à frire à feu vif. Faites dorer le filet sur toutes ses faces. Ajoutez l'eau-de-vie, en inclinant la poêle pour l'enflammer. Laissez-la brûler.

Transférez le filet dans un plat allant au four juste à la taille du filet, pour bien le maintenir. Couvrez avec du lait et enfournez pour 2 h de cuisson, jusqu'à ce que la viande soit cuite à cœur. Au bout de 1 h de cuisson, ajoutez les noix. Salez et poivrez. Ajoutez un peu plus de lait pour que la viande reste juteuse. Servez aussitôt, arrosé de sauce.

POUR 6 À 8 PERSONNES • PRÉPARATION 15 MIN + 1 H DE REPOS • CUISSON 2 H • NIVEAU 2

15 Cochon de lait rôti
aux légumes

- 2 oignons coupés en quatre
- 2 carottes coupées en rondelles épaisses
- 2 branches de céleri, coupées en rondelles épaisses
- 2 courgettes coupées en rondelles épaisses
- 4 pommes de terre coupées en quatre
- 1 poireau coupé en rondelles épaisses
- ½ cochon de lait de 2 kg
- 2 feuilles de laurier
- 200 ml de vin blanc sec
- 1 cuil. à soupe d'ail et de persil ciselé
- 90 ml d'huile d'olive
- 10 grains de poivre
- Sel

Préchauffez le four à 200 °C (th. 6-7). Faites chauffer à feu vif 4 cuil. à soupe d'huile dans une grande sauteuse. Ajoutez les oignons, les carottes, le céleri, les courgettes, les pommes de terre et le poireau, puis colorez le tout légèrement pendant 8 à 10 min. Salez, retirez du feu et réservez. Dans la même poêle, ajoutez l'huile restante et faites dorer la viande pendant 5 à 10 min. Transférez la viande et le jus de cuisson dans un plat allant au four. Salez et ajoutez les grains de poivre entiers. Ajoutez le laurier et retournez la viande.

Enfournez pour 1 h 30 de cuisson, en arrosant fréquemment de jus de cuisson et en ajoutant du vin régulièrement. Après 45 min de cuisson au four, ajoutez les légumes et parsemez d'ail et de persil. Une fois la viande cuite, elle sera dotée d'une croûte foncée et croustillante.

Disposez sur un plat de service préchauffé, avec les légumes, et servez chaud.

POUR 6 PERSONNES • PRÉPARATION 15 MIN • CUISSON 2 H • NIVEAU 2

Le cochon de lait est abattu entre deux et six semaines. La chair est pâle et très tendre, et la peau grillée est très croustillante. Vous pouvez également préparer ce plat avec des animaux plus âgés.

16 Côtelettes de porc
aux coings pochés

- 4 côtelettes de porc
- 1 oignon finement émincé
- 1 gousse d'ail ciselée
- 1 coing épluché, vidé et coupé en fines lamelles
- 125 ml de vin blanc sec
- Le jus de 1 orange
- 90 ml de bouillon de poule
- 1 bâton de cannelle de 5 cm
- 1 cuil. à soupe de miel
- 1 cuil. à soupe de persil ciselé
- 3 cuil. à soupe d'huile d'olive
- Sel, poivre noir du moulin

Faites chauffer à feu vif 1 cuil. à soupe d'huile dans une grande poêle. Saisissez les côtelettes 2 min de chaque côté. Réservez-les. Faites fondre l'oignon et l'ail dans l'huile restante à feu modéré pendant 3 à 4 min. Ajoutez le coing et laissez mijoter pendant 3 min.

Augmentez le feu. Versez le vin et laissez-le s'évaporer. Incorporez le jus d'orange, le bouillon de poule, le bâton de cannelle et le miel. Laissez mijoter à feu doux jusqu'à ce que la sauce ait réduit un peu. Remettez la viande dans la poêle et laissez-la cuire 10 min de plus. Ajoutez le persil. Salez, poivrez et servez aussitôt.

POUR 4 PERSONNES • PRÉPARATION 20 MIN • CUISSON 40 MIN • NIVEAU 2

17 Côtelettes de porc
à la gremolata

- 16 tomates cerise coupées en deux
- 1 petit bouquet de ciboulette ciselée
- 4 côtelettes d'agneau
- Le zeste et le jus de 1 citron bio
- 1 cuil. à soupe de moutarde de Dijon
- 1 cuil. à café de miel
- 4 cuil. à soupe d'huile d'olive
- Sel, poivre noir du moulin

Gremolata

- Le zeste de 2 citrons
- 1 bouquet de persil ciselé
- 2 gousses d'ail ciselées

Préchauffez le four à 200 °C (th. 6-7). Placez les tomates sur une feuille de papier sulfurisé et arrosez-les de 1 cuil. à soupe d'huile. Laissez-les cuire pendant 10 min. Parsemez-les de ciboulette. Réservez-les au chaud. Faites chauffer à feu vif 1 cuil. à soupe d'huile dans une grande poêle. Ajoutez la viande et colorez-la 1 min de chaque côté. Transférez-la dans un plat allant au four. Mélangez l'huile restante, le zeste et le jus de citron, la moutarde et le miel. Arrosez-en les côtelettes. Salez et poivrez. Enfournez-les pour 10 à 15 min, jusqu'à ce qu'elles soient cuites à cœur. Laissez reposer 5 min.

Préparez la gremolata. Mélangez le zeste de citron, le persil et l'ail dans un bol. Garnissez les côtelettes de gremolata. Servez chaud avec les tomates au four.

POUR 4 PERSONNES • PRÉPARATION 20 MIN • CUISSON 20 À 25 MIN • NIVEAU 1

18 Roulé de veau à la sicilienne

- 125 g de viande de bœuf hachée
- 250 g de chair à saucisse
- 1 gros œuf battu
- 60 g de pecorino râpé
- 1 cuil. à soupe de persil frais ciselé
- 1 petit oignon ciselé
- 2 gousses d'ail ciselées
- 750 g de bœuf maigre, de macreuse par exemple
- 250 g de jambon de Parme ou de jambon en tranches
- 4 tranches de pancetta ciselées
- 3 œufs durs
- 125 g de provolone coupé en lanières
- 4 cuil. à soupe d'huile d'olive
- 120 ml de vin rouge sec
- 1 cuil. à soupe de concentré de tomate dilué dans 250 ml d'eau chaude
- Sel, poivre noir du moulin

Mettez la viande hachée et la chair à saucisse dans un saladier. Ajoutez l'œuf battu, le pecorino, le persil, l'oignon, l'ail, du poivre et du sel et mélangez bien le tout. Placez la pièce de bœuf entre 2 feuilles de papier sulfurisé, et attendrissez-la à l'aide d'un pilon jusqu'à ce qu'elle fasse 5 mm d'épaisseur. Veillez à ne pas déchirer la viande.

Étalez la viande et recouvrez-la de jambon de Parme et de pancetta. Étalez le mélange à base de viande hachée en laissant une étroite bordure vide sur les contours.

Découpez les extrémités des œufs et placez-les, l'un derrière l'autre, au milieu du rectangle de viande. Déposez un peu de provolone de part et d'autre des œufs. Enroulez délicatement en veillant à bien recouvrir les œufs. Maintenez le rouleau à l'aide de ficelle de cuisine.

Faites chauffer l'huile dans une grande cocotte et colorez la viande sur toutes ses faces. Mouillez avec le vin et faites cuire à découvert jusqu'à évaporation complète. Ajoutez le concentré de tomate dilué. Couvrez et laissez mijoter à feu très doux pendant 1 h, en retournant régulièrement.

Juste avant de servir, retirez la ficelle et transférez dans un plat de service préchauffé. Présentez à table et découpez en tranches de 2 cm d'épaisseur, en arrosant de jus de cuisson dans les assiettes juste avant de servir.

POUR 6 PERSONNES • PRÉPARATION 30 MIN • CUISSON 1 H 15 • NIVEAU 2

19 Biftecks aux patates douces
et aux champignons

- 750 g de patates douces épluchées et coupées en dés
- 30 g de beurre
- 60 ml de lait
- 250 g de champignons émincés
- 4 oignons nouveaux finement émincés
- 2 gousses d'ail ciselées
- 250 ml de crème légère
- 3 cuil. à soupe de jus de citron
- 1 cuil. à soupe de thym ciselé
- 4 biftecks dans le filet
- 4 cuil. à soupe d'huile d'olive
- Sel

Faites cuire les patates douces dans une grande casserole d'eau bouillante salée pendant 10 à 15 min, jusqu'à ce qu'elles soient tendres. Égouttez-les et remettez-les dans la casserole. Écrasez-les avec du beurre et du lait.

Dans une grande poêle, faites chauffer 2 cuil. à soupe d'huile à feu modéré. Faites-y rissoler les champignons, les oignons et l'ail pendant 3 à 4 min. Incorporez la crème, le jus de citron, le thym et du sel. Portez à ébullition. Laissez mijoter à feu doux jusqu'à épaississement, pendant 1 min.

Faites chauffer l'huile restante dans une grande poêle sur feu vif. Faites cuire les biftecks pendant 5 à 10 min, selon votre goût. Servez aussitôt avec la purée de patates douces et les champignons.

POUR 4 PERSONNES • PRÉPARATION 15 MIN • CUISSON 20 À 30 MIN • NIVEAU 1

20 Côtelettes d'agneau
à la purée à l'ail

- 8 côtelettes d'agneau
- 2 cuil. à soupe de thym ciselé
- 300 ml de vin blanc sec
- 300 ml de bouillon de poule
- 750 g de pommes de terre pelées et coupées en dés
- 1 cuil. à soupe de câpres émincées
- 2 gousses d'ail ciselées
- Tomates, pour accompagner
- 4 cuil. à soupe d'huile d'olive
- Sel, poivre noir du moulin

Préchauffez le four à 180 °C (th. 6). Faites chauffer 2 cuil. à soupe d'huile dans une grande poêle et colorez les côtelettes 2 min de chaque côté. Transférez-les dans un plat allant au four. Salez, poivrez et ajoutez du thym. Mouillez avec la moitié du vin et du bouillon, puis enfournez pour 20 à 30 min de cuisson. Faites cuire les pommes de terre dans de l'eau bouillante salée, jusqu'à ce qu'elles soient tendres. Égouttez-les et écrasez-les avec l'huile restante, les câpres, l'ail, du sel et du poivre.

Ôtez les côtelettes du four, couvrez-les et laissez-les reposer. Ajoutez le reste de vin, de bouillon et de thym. Laissez cuire à feu modéré jusqu'à réduction d'un tiers du liquide, pendant 4 à 5 min. Servez chaud avec la purée, les jus de cuisson et des tomates.

POUR 6 À 8 PERSONNES • PRÉPARATION 30 MIN • CUISSON 40 MIN • NIVEAU 2

index des recettes

Canard

Dinde

Gibier

Porc

Poulet

Veau

Végétarien